Mikhaïl Boulgakov

Le roman de monsieur de Molière

*Traduit du russe
par Michel Pétris*

Gallimard

Mikhaïl Boulgakov est né en 1891. Sa vie même est un roman pathétique. Celle d'un grand esprit indépendant qui fut, durant toute sa carrière créatrice, non seulement incompris, mais brimé, relégué, écrasé sous la disgrâce. Une lettre qu'il écrivit, dans le désespoir, à Staline, lui épargna de plus grands malheurs. Heureusement, un grand amour illumina sa vie. Mais Le Maître et Marguerite, *qu'il acheva l'année de sa mort, en 1940, resta longtemps en manuscrit, sans être publié, tout comme son autre très beau livre,* Le Roman théâtral. *Aujourd'hui, il est considéré comme un des plus grands écrivains de la littérature russe contemporaine.*

Boulgakov avait la passion du théâtre et, faute de pouvoir être joué, dut tenir d'obscurs emplois d'assistant au Théâtre d'Art et au Bolchoï. Il était normal qu'il s'intéressât à Molière, ce qu'il fait à sa façon originale, dans le livre que voici.

Je parle avec l'accoucheuse

« Qu'est-ce qui m'empêche de dire la vérité en riant ? »

Horace.

*« Molière fut un célèbre auteur de comédies françaises
sous le règne de Louis XIV. »*

Antioche Kantemir.

Une accoucheuse qui avait appris son art à la
maternité de l'Hôtel-Dieu de Paris sous la direction de
la fameuse Louise Bourgeois délivra le 13 janvier 1622
la très aimable madame Poquelin, née Cressé, d'un
premier enfant, un prématuré de sexe masculin.

Je peux dire sans crainte de me tromper que si
j'avais pu expliquer à l'honorable sage-femme qui était
celui qu'elle mettait au monde, elle eût pu d'émotion
causer quelque dommage au nourrisson, et du même
coup à la France.

Et voilà : j'ai une veste aux poches immenses et à la
main une plume non d'acier, mais d'oie.

Devant moi se consument des bougies de cire, et
mon cerveau est enflammé.

— Madame, dis-je, faites attention au bébé, n'ou-

9

bliez pas qu'il est né avant terme. La mort de ce bébé serait une très grande perte pour votre pays !

— Mon Dieu ! Madame Poquelin en fera un autre !

— Madame Poquelin n'en fera jamais plus un semblable, et aucune dame n'en fera de semblable avant un certain nombre de siècles.

— Vous m'étonnez, monsieur !

— Je suis moi-même étonné. Comprenez bien que dans trois siècles, dans un pays lointain, je ne me souviendrai de vous que parce que vous aurez tenu dans vos mains le fils de monsieur Poquelin.

— J'ai tenu dans mes mains des enfants plus illustres.

— Qu'entendez-vous par le mot « illustre » ? Ce bébé deviendra plus célèbre que votre roi régnant Louis XIII, plus renommé que le roi suivant, et ce roi, madame, sera appelé Louis le Grand ou le Roi-Soleil ! Chère madame, il y a un pays lointain, vous ne le connaissez pas, c'est la Moscovie. Il est peuplé de gens qui parlent une langue étrange à votre oreille. Et dans ce pays pénétreront bientôt les mots de celui que vous mettez au monde maintenant. Un Polonais, bouffon du tsar Pierre Premier, les traduira, non de votre langue mais de l'allemand, en une langue barbare.

Le bouffon, surnommé roi des Samoyèdes, alignera en faisant grincer sa plume des lignes raboteuses :

« ГОРЖЫБУС. Есть нужно даты так великыя деньги за вашы лица изрядные. Скажыте мне нечто мало что соделалысте сым господам, которых аз вам показывах и которых выжду выходящих з моего двора з так великым встыдом... »

Le traducteur du tsar russe voudra par ces mots bizarres retransmettre ceux que votre nourrisson aura écrits dans sa comédie *Les Précieuses ridicules :*

« GORGIBUS : Il est bien nécessaire, vraiment, de faire tant de dépense pour vous graisser le museau. Dites-moi un peu ce que vous avez fait à ces messieurs, que je les vois sortir avec tant de froideur... »

Dans la *Description des comédies que l'on trouve au département des Ambassades ce trente mai de l'année 1709,* on remarque, parmi d'autres, les pièces suivantes : l'arlequinade *Sur le Docteur battu* (ou *Le Docteur contraint*), et *La race d'Hercule,* avec pour premier personnage Jupiter. Nous les reconnaissons. La première, c'est *Le Médecin malgré lui,* comédie de votre bébé. La seconde est *Amphitryon,* toujours de lui. Ce même *Amphitryon* qui sera joué à Paris en 1668 par le sieur de Molière et ses comédiens en présence de Piotr Ivanovitch Potemkine, envoyé du tsar Alexis Mikhaïlovitch.

Ainsi, vous le voyez, les Russes connaîtront l'homme que vous mettez au monde avant la fin de ce siècle.

Ô lien des temps ! Ô courants de la culture ! Les mots de l'enfant seront traduits en allemand, seront traduits en anglais, en italien, en espagnol, en hollandais. En danois, portugais, polonais, turc, russe...

— Est-ce possible, monsieur !
— Ne m'interrompez pas, madame ! En grec ! En grec moderne, je veux dire. Mais en grec ancien, aussi. En hongrois, roumain, tchèque, suédois, arménien, arabe !
— Monsieur, vous me stupéfiez !

— Oh, ce n'est pas là le plus étonnant. Je pourrais vous nommer des dizaines d'écrivains traduits dans des langues étrangères, alors qu'ils ne méritaient même pas d'être imprimés dans leur langue natale. Mais celui-là, on ne se contentera pas de le traduire. On écrira des pièces sur lui, et vos compatriotes à eux seuls en écriront des dizaines. Les Italiens en écriront aussi, et parmi eux Carlo Goldoni qui, comme on disait, est né aux applaudissements des Muses. Et les Russes aussi.

Chez vous bien sûr, mais également dans d'autres pays on composera des imitations de ses pièces, et l'on écrira des remaniements de ces pièces. Les érudits de diverses nations feront des analyses détaillées de ses œuvres et s'efforceront de suivre pas à pas le mystère de sa vie. Ils vous démontreront que cet homme qui ne donne maintenant dans vos mains que de faibles signes de vie, influencera de nombreux écrivains des siècles à venir, et notamment ceux-ci — qui vous sont inconnus, mais qui me sont connus —, je veux parler de mes compatriotes Griboïedov, Pouchkine et Gogol.

> Vous avez raison : sortira intact du feu
> Celui qui passera un jour avec vous,
> Respirera le même air que vous
> Et n'y perdra pas la raison.
> Adieu Moscou ! Je m'en vais,
> Je pars sans me retourner sur la terre chercher
> Un endroit où cacher un sentiment offensé.

Ces lignes sont extraites du final de la pièce *Le malheur d'avoir de l'esprit*, de mon compatriote Griboïedov.

Puissiez-vous, pour goûter de vrais contentements,
L'un pour l'autre à jamais garder ces sentiments !
Trahi de toutes parts, accablé d'injustices,
Je vais sortir d'un gouffre où triomphent les vices,
Et chercher sur la terre un endroit écarté,
Où d'être homme d'honneur on ait la liberté.

Et ces lignes sont extraites du final de la pièce de ce même Poquelin *Le Misanthrope*, traduite en 1816 par l'auteur russe Fiodor Kokochkine.

Il y a une ressemblance entre ces finals ? Ah, mon Dieu ! Je ne suis pas expert, que les érudits s'y débrouillent ! Ils vous diront jusqu'à quel point le Tchatski de Griboïedov ressemble au Misanthrope-Alceste, pourquoi Carlo Goldoni est considéré comme un disciple de ce Poquelin, comment Pouchkine adolescent a imité ce Poquelin, et beaucoup d'autres choses intéressantes et sensées. Je me débrouille mal dans tout cela.

C'est autre chose qui m'intéresse : les pièces de mon héros seront jouées pendant trois siècles sur toutes les scènes du monde, et nul ne sait quand elles cesseront de l'être. Voilà ce qui m'intéresse ! Voilà l'homme que deviendra ce nourrisson !

Oui, je voulais parler des pièces. Une dame très estimable, madame Aurore Dudevant, par ailleurs plus connue sous le nom de George Sand, sera au nombre des personnes qui écriront des pièces sur mon héros.

Dans le final de sa pièce, Molière se lèvera et dira :
— Oui, je veux mourir chez moi... Je veux bénir ma fille.

Et le prince de Condé s'approchera et lui donnera la réplique :

— Appuyez-vous sur moi, Molière !

Et l'acteur Du Parc, qui soit dit en passant ne sera plus de ce monde à la mort de Molière, s'exclamera en sanglotant :

— Oh, perdre la seule personne que j'aie jamais aimée !

Les dames écrivent de façon touchante, on ne peut rien y faire ! Mais toi, mon pauvre maître ensanglanté ! Tu n'as jamais voulu mourir nulle part, que ce soit chez toi ou hors de chez toi ! Et je ne crois pas que, quand le sang jaillissait en rivière de ta gorge, tu aies exprimé le désir de bénir ta fille Madeleine qui n'intéresse personne !

Qui existe-t-il pour écrire de manière plus touchante que les dames ? Certains hommes, sans doute ; l'auteur russe Vladimir Rafaïlovitch Zotov présentera un final non moins sentimental :

— Le roi arrive. Il veut voir Molière. Molière ! Qu'a-t-il ?

— Il est mort.

Et le prince s'écriera en courant à la rencontre de Louis :

— Sire ! Molière est mort !

Et Louis XIV ôtera son chapeau et dira :

— Molière est immortel !

Que peut-on répondre à cela ? Oui, effectivement, un homme qui vit depuis plus de trois cents ans déjà est sans doute immortel. Mais la question est la suivante : le roi l'a-t-il reconnu ?

Dans l'opéra *Aréthuse*, composé par monsieur Campra, il était dit :

— Les dieux gouvernent le ciel, et Louis la terre !

Celui qui gouvernait la terre n'enlevait jamais son chapeau devant personne, si ce n'est devant les dames,

14

et ne serait pas allé au chevet de Molière mourant. Et en fait il n'y est pas allé, de même qu'aucun prince n'y est allé. Celui qui gouvernait la terre se considérait comme immortel, mais je crois que là il se trompait. Il était mortel, comme tout le monde, et par conséquent aveugle. S'il n'avait pas été aveugle, il serait peut-être allé voir le mourant : il aurait vu dans le futur des choses intéressantes et aurait pu manifester le désir de s'associer à la véritable immortalité.

Il aurait vu à cet endroit du Paris actuel où se rejoignent à angle aigu les rues de Richelieu, Thérèse et Molière, un homme assis immobile entre des colonnes. En dessous de cet homme, deux femmes de marbre clair avec des rouleaux à la main. Encore en dessous, des têtes de lion et en bas la vasque asséchée de la fontaine.

Le voilà, le Gaulois rusé et charmeur, le comédien et dramaturge royal ! Il est là, coiffé d'une perruque de bronze, avec des rubans de bronze à ses chaussures ! Il est là, le roi de la dramaturgie française !

Ah ! madame ! Que me dites-vous là, à propos des nourrissons illustres que vous avez tenus dans vos mains ! Comprenez que cet enfant que vous mettez aujourd'hui au monde dans la maison des Poquelin n'est autre que monsieur Molière ! Ah, ah ! Vous avez compris ce que je vous ai dit ? Alors faites attention, je vous en prie ! Dites, il a crié ? Il respire ? Il vit !

1. *Dans la maison aux singes*

Donc, vers le 13 janvier 1622 à Paris, un premier-né fragile fit son apparition chez monsieur Jean-Baptiste Poquelin et son épouse Marie Poquelin-Cressé. Le 15 janvier, il fut baptisé à l'église Saint-Eustache et prénommé en l'honneur de son père Jean-Baptiste. Les voisins félicitèrent Poquelin et la corporation des tapissiers sut qu'un nouveau tapissier et marchand de meubles était venu au monde.

Tous les architectes ont leur lubie. Aux angles d'une agréable maison de deux étages au toit à double pente raide située à l'intersection de la rue Saint-Honoré et de la rue des Vieilles-Étuves, le bâtisseur du XVe siècle avait disposé des bois sculptés qui représentaient des orangers aux branches soigneusement détaillées. Sur ces arbres, des kyrielles de petits singes allaient cueillir les fruits. Naturellement, les Parisiens avaient surnommé la maison « maison aux singes ». Et par la suite, ces guenons coûtèrent cher au comédien Molière ! Il se trouva nombre de personnes bien intentionnées pour dire que la carrière du fils aîné de l'honorable Poquelin n'avait rien qui pût étonner. Ce fils était devenu un paillasse : mais que pouvait-on attendre d'un homme élevé dans la compagnie de guenons grimacières? Mais le comédien ne renia pas ses singes et quand, vers la fin de sa vie, il conçut le projet d'un blason dont il avait on ne sait trop pourquoi ressenti la nécessité, il y fit figurer ses amies à queue qui avaient monté la garde sur la maison paternelle.

Cette maison se trouvait dans le très bruyant quartier marchand qui occupait le centre de Paris, à peu de distance du Pont-Neuf. Elle appartenait au tapissier et drapier de la cour Jean-Baptiste père, qui y vivait et y travaillait.

Avec le temps, le tapissier parvint à acquérir un autre titre, celui de valet de chambre de Sa Majesté le roi de France, titre qu'il porta fièrement et qu'il laissa en héritage à son fils aîné Jean-Baptiste.

Le bruit courut que Jean-Baptiste père, outre son commerce de fauteuils et de tapisseries, s'occupait également de prêts d'argent à des taux confortables. Je ne vois rien là de blâmable chez un homme de commerce. Mais les mauvaises langues affirmèrent que Poquelin père avait tendance à saler quelque peu les intérêts et qu'en peignant l'horrible grigou Harpagon le dramaturge Molière ne fit que mettre en scène son cher père. Cet Harpagon-là est celui qui essaya de refiler à compte d'argent à l'un de ses clients un impressionnant bric-à-brac où l'on trouvait entre autres une peau de crocodile bourrée de foin qui, de l'avis d'Harpagon, pouvait être avantageusement pendue au plafond en guise d'ornement.

Je ne veux pas croire ces ragots de bonne femme! Le dramaturge Molière n'a pas sali la mémoire de son père, ce n'est pas moi qui le ferai.

Poquelin père était un véritable commerçant, un représentant estimable et estimé de son honorable profession. Il tenait son commerce, et l'entrée de la boutique aux singes était surmontée d'une fière enseigne où l'on retrouvait les singes en question.

Dans la pénombre du rez-de-chaussée, dans la boutique, flottait l'odeur de la laine et de la teinture ; à la caisse, les pièces de monnaie sonnaient et toute la journée les gens défilaient pour choisir des tapisseries et des tapis. Bourgeois et aristocrates se retrouvaient chez Poquelin père. Dans l'atelier, dont les fenêtres prenaient jour sur la cour, s'élevaient des colonnes de poussière grasse, des chaises s'entassaient, des morceaux de bois d'ameublement et des coupes de peaux et de tissus traînaient dans tous les coins ; et au milieu de ce chaos s'affairaient, tapant du marteau et jouant des ciseaux, les artisans et apprentis de Poquelin.

Dans les chambres du premier étage, au-dessus de l'enseigne, régnait la mère. On entendait là le bruit de sa toux perpétuelle et le frou-frou de ses jupes de Gros de Naples. Marie Poquelin était, comme on dit, une femme solvable. Ses armoires étaient garnies de robes coûteuses, d'étoffes florentines, de linge de la toile la plus fine ; les commodes renfermaient des colliers, des bracelets garnis de brillants, des perles, des bagues ornées d'émeraudes, des montres en or et de l'argenterie de prix. Quand elle priait, Marie égrenait un chapelet de nacre. Elle lisait la bible et même, ce que je ne crois guère, l'auteur grec Plutarque, dans une traduction abrégée. Elle était douce, aimable et instruite. La plupart de ses ancêtres avaient été tapissiers, mais il y avait eu aussi parmi eux des représentants d'autres professions, tels des musiciens et des avocats.

Dans les pièces du haut se promenait donc un garçon blond aux lèvres charnues. C'était le fils aîné, Jean-Baptiste. Il descendait parfois dans la boutique et allait dans les ateliers empêcher les apprentis de travailler en leur posant toutes sortes de questions. Les maîtres artisans se moquaient de son bégaiement, mais l'aimaient bien. À d'autres moments, il se mettait à la fenêtre, les poings plaqués contre ses joues, et observait les allées et venues des gens dans la rue bourbeuse.

Passant près de lui, sa mère lui donna un jour une légère tape dans le dos et lui dit :

— Alors, le contemplateur !...

Et un beau jour le contemplateur entra à l'école paroissiale. Il y apprit ce que l'on peut apprendre dans ces écoles : à effectuer les quatre opérations de l'arithmétique, à lire couramment, à assimiler quelques rudiments de latin et à se familiariser avec une multitude de choses intéressantes exposées dans les *Vies des saints*.

Les jours coulaient ainsi, paisibles et heureux. Poquelin père s'enrichissait, trois autres enfants étaient nés... quand brutalement le malheur s'abattit sur la maison aux singes.

Au printemps 1632, la tendre mère tomba malade. Ses yeux se mirent à briller, se remplirent d'inquiétude. En l'espace d'un mois elle maigrit au point de devenir presque méconnaissable, et ses joues blêmes se couvrirent de vilaines taches. Puis elle se mit à cracher le sang et la maison aux singes vit venir les docteurs, montés sur leurs mules et coiffés de leurs sinistres bonnets. Le 15 mai, le contemplateur potelé pleura toutes les larmes de son corps en frottant ses yeux rougis de ses mains sales et toute la maison sanglota avec lui. La douce Marie Poquelin était étendue, immobile, les mains croisées sur sa poitrine.

Quand on l'eut enterrée, une sorte de crépuscule

permanent s'installa dans la maison. Le père sombra dans la désolation, prit un air absent, et le premier-né le surprit à plusieurs reprises en train de pleurer dans la pénombre. Désemparé par ce spectacle, le contemplateur errait dans la maison, ne sachant pas quoi faire. Mais les pleurs du père cessèrent et il se mit à fréquenter assidûment une certaine famille Fleurette. Jean-Baptiste, alors âgé de onze ans, apprit qu'il allait avoir une nouvelle maman : et bientôt la nouvelle mère, Catherine Fleurette, fit son entrée dans la maison aux singes — maison que la famille quitta d'ailleurs, car le père en avait acheté une autre.

2. *Histoire de deux passionnés de théâtre*

La nouvelle demeure était située sur l'emplacement même du marché, dans ce quartier de Paris où se tenait la fameuse foire de Saint-Germain. Dans ce nouvel endroit, l'entreprenant Poquelin déploya avec un lustre accru tous les appâts de sa boutique. Dans l'ancienne maison, Marie Cressé s'occupait des soins du ménage et faisait des enfants : Catherine Fleurette l'avait remplacée dans la nouvelle. Que peut-on dire de cette femme ? Rien, je crois, que ce soit en bien ou en mal. Mais parce qu'elle était entrée dans la famille avec le qualificatif de marâtre, nombre de ceux qui s'attachèrent à la vie de mon héros ont affirmé que la vie de Jean-Baptiste enfant ne fut pas très gaie du temps de Catherine Fleurette : elle aurait été une mauvaise marâtre et c'est elle que Molière aurait peinte sous les traits de Béline, l'épouse perfide, dans sa comédie du *Malade imaginaire*.

Pour moi, tout cela est faux. Absolument rien ne prouve que Catherine se soit mal conduite à l'égard de Jean-Baptiste, et encore moins que Béline ce soit elle. Catherine fut une seconde épouse sans haine qui remplit sa tâche sur la terre : l'année qui suivit les noces, elle donna à Poquelin une fille du nom de

Catherine, et deux ans plus tard une autre qui fut prénommée Marguerite.

Jean-Baptiste suivit donc jusqu'à son terme l'enseignement de l'école paroissiale, et finit par quitter celle-ci. Poquelin père décréta que son premier-né avait suffisamment élargi ses horizons et lui intima l'ordre de se vouer aux affaires de la boutique. Jean-Baptiste se mit à mesurer les étoffes, à planter des clous, à tailler des bavettes avec les apprentis et à passer son temps libre à lire un Plutarque graisseux que lui avait laissé Marie Cressé.

Et voici qu'à la lumière de mes bougies paraît devant moi dans la porte qui s'ouvre, vêtu d'un habit simple mais cossu, perruque sur la tête et canne à la main, un monsieur d'apparence bourgeoise, très vert pour son âge, aux yeux vifs et aux bonnes manières. Son prénom est Louis, son nom Cressé, il est le père de la défunte Marie et donc le grand-père du jeune Jean.

Monsieur Cressé était tapissier de son état, tout comme son gendre. Mais à la différence de celui-ci, le grand-père travaillait à son compte et exerçait son commerce à la foire de Saint-Germain. Cressé vivait près de Paris, à Saint-Ouen, dans une belle maison dont il était entièrement propriétaire. Le dimanche, la famille Poquelin avait coutume d'aller rendre visite au grand-père à Saint-Ouen, et les enfants gardaient d'agréables souvenirs de ces visites.

Ce grand-père Cressé se lia d'une étonnante amitié avec Jean-Baptiste enfant. Qu'est-ce qui a pu rapprocher ainsi le vieil homme de l'enfant ? Le diable ? Oui, ce fut certainement lui ! Cependant la passion partagée ne resta pas longtemps ignorée de Poquelin père et provoqua bientôt son étonnement grognon : il avait découvert que le grand-père et le petit-fils étaient tous deux fous de théâtre.

Les soirs de liberté, quand le grand-père se trouvait à Paris, les deux tapissiers — le vieux et le jeune — après s'être mis d'accord en échangeant des regards mystérieux, quittaient la maison. Il n'était pas difficile de suivre leur trace. Ils se dirigeaient d'ordinaire vers l'angle de la rue Mauconseil et de la rue Française où, dans une salle basse et sombre de l'Hôtel de Bourgogne, la troupe royale se produisait. L'honorable grand-père Cressé avait acquis de solides relations chez les doyens d'une société qu'unissait une communauté de buts religieux — et commerciaux aussi bien. Cette société s'intitulait « Confrérie de la Passion » et avait le privilège de présenter les mystères à Paris. C'est la Confrérie qui avait construit l'Hôtel de Bourgogne, mais à l'époque où Jean-Baptiste était enfant on ne jouait plus de mystères et l'Hôtel était loué à diverses troupes.

Donc, le grand-père Cressé allait voir un doyen de la Confrérie, et l'honorable tapissier et son petit-fils bénéficiaient de places gratuites dans l'une des loges disponibles.

Au théâtre de l'Hôtel de Bourgogne, dont la vedette était alors le très célèbre acteur Bellerose, on donnait des tragédies, des tragi-comédies, des pastorales et des farces, et le dramaturge le plus en vue était Jean de Rotrou, grand admirateur des modèles de la dramaturgie espagnole. Le jeu de Bellerose ravissait de plaisir le grand-père Cressé, et son petit-fils applaudissait avec lui. Mais Jean-Baptiste s'intéressait moins aux tragédies dans lesquelles Bellerose se produisait qu'aux farces de l'Hôtel de Bourgogne, farces grossières et légères pour la plupart empruntées aux

Italiens et qui avaient trouvé à Paris de splendides exécutants, capables de jongler librement dans leurs rôles comiques avec le texte de l'actualité.

Oui, le grand-père Cressé avait montré à Poquelin fils, au grand dam de Poquelin père, le chemin de l'Hôtel de Bourgogne ! Et là — d'abord avec son grand-père, quand il était encore enfant, puis plus tard avec des camarades quand il fut un jeune homme — Jean-Baptiste put voir des choses extraordinaires.

Le fameux Gros-Guillaume, qui jouait dans les farces, éblouissait Jean-Baptiste par son béret rouge à fond plat et sa veste blanche qui contenait un ventre monstrueux. Une autre célébrité, le bouffon Gaultier-Garguille, vêtu d'une camisole noire aux manches rouges, armé d'énormes lunettes et un bâton à la main, déchaînait non moins que Gros-Guillaume l'enthousiasme du public de l'Hôtel. Jean-Baptiste était aussi fasciné par Turlupin, dont la verve inventive était intarissable, et par Alison, qui jouait les rôles de vieilles femmes ridicules.

En l'espace de quelques années défilèrent devant les yeux de Jean-Baptiste, tournoyant comme sur un manège, visages enfarinés et peinturlurés ou couverts par des masques, les docteurs pédants, les vieillards avares, les capitaines vantards et poltrons. Devant un public hoquetant de rire, les épouses frivoles bafouaient leurs lourdauds de maris grognons et les commères-maquerelles des farces caquetaient comme des pies. Malins et légers comme des plumes, valets et servantes menaient par le bout du nez les vieillards Gorgibus, donnaient du bâton aux vieux grigous et les fourraient dans des sacs. Et les murs de l'Hôtel de Bourgogne tremblaient sous les éclats de rire des Français. Quand ils eurent vu tout ce que l'on pouvait voir à l'Hôtel de Bourgogne, les tapissiers dévorés par leur passion transportèrent leurs pénates dans un autre théâtre, le théâtre du Marais. Là régnait la tragédie, où se distinguait le célèbre acteur Mondory, et la grande comédie : les meilleures œuvres du genre étaient fournies au théâtre par Pierre Corneille, le fameux dramaturge de l'époque.

On peut dire que le petit-fils de Louis Cressé plongea dans divers bains ! Le Bellerose de l'Hôtel de Bourgogne, paré comme un dindon, était sucré et tendre : il faisait rouler ses yeux, puis les dirigeait vers des lointains mystérieux, balançait son chapeau avec grâce et disait ses monologues d'une voix pleurni-charde, de sorte que l'on ne savait jamais s'il parlait ou s'il chantait. Tandis que là, au Marais, Mondory ébranlait la salle d'une voix de tonnerre et mourait en râlant dans la tragédie.

L'enfant regagnait la maison paternelle avec un éclat fiévreux dans les yeux et rêvait la nuit des bouffons Alison, Jacquemin-Jadot, Philippin et du fameux Jodelet au visage blanchi.

Hélas ! l'Hôtel de Bourgogne et le Marais ne pouvaient à eux seuls combler tous les désirs de ceux qui souffraient d'une passion inguérissable pour le théâtre.

Au Pont-Neuf et dans l'arrondissement des Halles, c'était le royaume du commerce. Là, Paris engraissait, embellissait et se répandait de partout. À l'intérieur des boutiques, devant les boutiques, une telle vie bouillonnait que les oreilles tintaient, la vue se brouillait, et à l'endroit où la foire Saint-Germain déployait ses tentes, c'était la confusion la plus totale. Le brouhaha ! Le fracas ! Et la gadoue, la gadoue !...

— « Mon Dieu ! Mon Dieu ! » disait un jour le poète infirme Scarron à propos de cette foire : « Que de merde peuvent répandre ces culs qui ne connaissent pas les caleçons ! »

Toute la journée ils vont, ils marchent, ils se bousculent ! Les petits bourgeois, et leurs mignonnes petites femmes ! Dans les boutiques des barbiers, on rase, on savonne, on arrache les dents. Dans la bouillie humaine, on voit des cavaliers au milieu des piétons. Juchés sur des mules, des médecins passent, dignes, pareils à des corbeaux. Les mousquetaires du roi cacarolent avec leurs casaques brodées de flèches d'or.

Mange, bois, achète et vends, capitale du monde, pousse et croîs ! Et vous, les culs qui ne connaissez pas les caleçons, venez ici, venez au Pont-Neuf ! Regardez les tréteaux qui se montent, les estrades que l'on entoure de tentures. Et là, qui est-ce qui piaille comme un mirliton ? C'est le crieur du spectacle. N'hésitez plus, Messeigneurs, le spectacle va commencer ! Ne ratez pas cette occasion unique ! C'est ici, et ici seulement que vous verrez les fameuses marionnettes de monsieur Brioché ! Venez les voir danser suspendues à leurs fils ! Venez voir Fagotin, l'extraordinaire singe savant !

Les baraques du Pont-Neuf accueillaient des médecins ambulants, des arracheurs de dents, des charlatans apothicaires qui vendaient aux gens des panacées qui guérissaient de tous les maux. Pour attirer l'attention sur leurs boutiques, ils s'abouchaient avec des saltimbanques de rue, parfois avec de véritables acteurs qui avaient déjà pris pied sur les planches des théâtres et l'on assistait à de véritables représentations à la gloire des médications miraculeuses.

Il y avait aussi des processions solennelles où paradaient à cheval, grimés, parés, surchargés de clinquants bijoux de location, des comédiens qui clamaient des slogans et appelaient les gens à les rejoindre. Derrière eux venaient des bandes de gamins qui criaient, sifflaient, plongeaient dans les jambes et ajoutaient à la confusion.

Gronde, Pont-Neuf! J'écoute dans ton bruit naître, d'un père charlatan et d'une mère actrice, la comédie française. Elle pousse un cri perçant et son visage à peine formé est couvert de farine!

Tout Paris parle d'un homme aussi extraordinaire que mystérieux, un certain Christophe Contugi. Il a engagé toute une troupe et donne sur une estrade des spectacles de polichinelles, grâce auxquels il vend une bouillie médicinale qui guérit tous les maux, et qu'il a baptisé « orviétan ».

> Car une pareille médication
> Ne se trouve en aucune nation!
> Orviétan, orviétan!
> Achetez orviétan!

Les bouffons masqués s'égosillent dans le tumulte à jurer qu'il n'y a pas sur la terre une maladie que l'orviétan ne puisse soigner! L'orviétan guérit de la phtisie, de la peste, de la gale!

Un mousquetaire à cheval passe devant la baraque. Son pur-sang louche d'un œil injecté de sang, l'écume bave au mors. Des culs qui ne connaissent pas les caleçons lui barrent la route, se pressent contre les fontes de la selle. Dans la baraque de Contugi, des voix entonnent :

> Oh! monsieur Capitan,
> Achète de l'orviétan!

— La peste vous emporte! Hors de ma route! crie l'officier de la garde.

Un certain Sganarelle se laisse appâter :

— Donnez-moi, s'il vous plaît, une petite boîte d'orviétan. Ça coûte combien?

— Monsieur, répond le charlatan, l'orviétan n'a pas de prix! Je m'en voudrais, monsieur, de vous prendre votre argent!

— Oh, monsieur, répond Sganarelle, je comprends que tout l'or de Paris ne suffirait pas à payer cette petite boîte, mais je m'en voudrais de prendre quelque chose pour rien. Tenez, prenez ces trente sous et rendez-moi la monnaie.

Sur Paris, le soir est bleu marine. Les lumières s'allument. Dans les baraques, les lustres cruciformes fument, les chandelles de suif fondent et la flamme ondule dans les flambeaux.

Sganarelle presse le pas pour rentrer chez lui, rue Saint-Denis. On l'attrape par la basque de son habit, on l'invite à acheter un antidote contre tous les poisons qu'on trouve sur la terre.

Gronde, Pont!

Voici maintenant deux hommes qui se frayent un chemin dans la pâte humaine : un vénérable grand-père accompagné de son ami et petit-fils en petit col blanc. Et personne ne sait, et les acteurs sur leurs planches ne soupçonnent pas qui est celui que l'on bouscule dans la foule près de la baraque d'un charlatan. À l'Hôtel de Bourgogne, Jodelet ne sait pas qu'un jour viendra où il jouera dans la troupe de ce gamin. Pierre Corneille ne sait pas qu'à l'automne de sa vie, il sera content quand le gamin prendra sa pièce pour la mettre en scène et lui donnera à lui, dramaturge plus pauvre de jour en jour, de l'argent pour cette pièce.

— Ne pourrions-nous voir encore le spectacle suivant ? demande le petit-fils, câlin et poli.

Le grand-père hésite — il est tard. Mais il ne peut s'empêcher.

— Bon, soit, allons-y.

Sur l'estrade suivante, un acteur fait des tours avec son chapeau : il le fait tournoyer, le plie d'une certaine manière, le froisse, l'envoie en l'air...

Le pont est maintenant illuminé, dans la ville les lanternes voguent entre les mains des passants, et les oreilles résonnent encore d'un cri strident : orviétan !

Et il est très possible que ce soir, dans la rue Saint-Denis, se joue le final d'une des futures comédies de Molière. Pendant que ce Sganarelle ou ce Gorgibus allait chercher de l'orviétan qui, pensait-il, lui permettrait de guérir sa fille Lucinde de son amour pour Clitandre ou Cléonte, Lucinde, naturellement, s'enfuyait avec ce Clitandre et se mariait !

Gorgibus tempête. On l'a berné ! Bridé comme une bécasse ! Il fourre le précieux orviétan dans les dents de la servante ! Il menace !

Mais les violons joyeux feront leur entrée, le domestique Champagne se mettra à danser, Sganarelle se résignera. Et Molière terminera cette soirée par une fin heureuse aux lanternes.

Gronde, Pont !

3. *De l'orviétan pour le grand-père*

À l'issue d'une de ces soirées, Cressé et son petit-fils rentrèrent chez eux très échauffés et, comme à l'accoutumée, quelque peu mystérieux. Assis dans un fauteuil, le père Poquelin se reposait de sa journée de travail. Il s'enquit de l'endroit où le grand-père avait mené son enfant préféré. Évidemment, ils étaient allés au spectacle, à l'Hôtel de Bourgogne.

Poquelin voulut savoir :

— Qu'est-ce qui vous a pris de l'emmener tout le temps au théâtre ? Vous ne voulez tout de même pas en faire un comédien ?

Le grand-père posa son chapeau, casa sa canne dans un coin, garda quelque temps le silence, puis dit :

— Plaise au ciel qu'il devienne un jour un acteur comme Bellerose.

Le tapissier à la cour ouvrit la bouche. Se tut. Puis demanda si le grand-père parlait sérieusement. Et comme Cressé ne disait rien, Poquelin se chargea de développer le thème, mais sur le mode de l'ironie.

Selon Louis Cressé, si l'on peut vouloir devenir semblable au comédien Bellerose, pourquoi alors ne pas aller encore plus loin ? On peut marcher sur les traces d'Alison et faire des grimaces sur la scène en jouant, pour amuser les foules, les vieilles marchandes comiques. Et pourquoi ne pas se graisser la figure avec une quelconque saleté blanche et s'accrocher sous le nez des moustaches énormes, comme Jodelet ?

Après tout, on peut très bien faire le pitre au lieu de s'occuper à son métier, puisque les gens payent pour ça des quinze sous par personne !

C'est vraiment là une carrière admirable pour le fils aîné d'un tapissier à la cour que, grâce à Dieu, tout Paris connaît ! C'est les voisins qui en feraient des gorges chaudes, si le jeune Baptiste, monsieur Poquelin, qui a droit au titre de laquais du roi, se retrouvait un jour sur les planches ! Dans la corporation des tapissiers, les rates se dilateraient !

— Excusez-moi, dit doucement Cressé. Pour vous, le théâtre ne doit donc pas exister ?

Mais il apparut que ce n'était pas du tout ce que les paroles de Poquelin voulaient dire. Le théâtre doit exister. Cela, même Sa Majesté — que Dieu lui prête longue vie — l'admet. L'appellation de « Troupe du Roi » a été décernée à la troupe de l'Hôtel de Bourgogne. Tout cela est fort bon. Lui-même, Poquelin, ira avec plaisir au théâtre le dimanche. Mais en fin de compte, si on la lui demandait, son opinion serait la suivante : le théâtre existe pour Jean-Baptiste Poquelin, et non l'inverse.

Poquelin mâchait du pain grillé, buvait un coup de vin par-dessus et accablait le grand-père de ses sarcasmes.

On peut aller encore plus loin. Si l'on ne peut pas entrer dans la troupe de Sa Majesté — car il n'est pas donné à tout le monde, messieurs, d'être un Bellerose, qui a, dit-on, vingt mille livres rien qu'en costumes — pourquoi ne pas aller jouer à la foire ? On peut se lancer dans les plaisanteries les plus indécentes, faire des gestes équivoques, pourquoi pas, hein, pourquoi pas ? Toute la rue vous montrera du doigt !

— Excusez-moi, je plaisante, dit Poquelin, mais je suppose que vous aussi vous plaisantiez, non ?

Mais on n'a jamais su si le grand-père plaisantait, de même que l'on n'a jamais su ce que pensait à cet instant le petit Jean-Baptiste.

« Drôles de gens que ces Cressé ! pensait le tapissier à la cour en se tournant et se retournant dans la pénombre de son lit. Dire une telle chose devant un enfant ! C'est délicat, mais il aurait fallu répondre au grand-père que ce sont là des plaisanteries stupides. »

Il n'en dort pas. Le drapier-valet de chambre du roi fixe l'obscurité. Tous les mêmes, ces Cressé ! Sa pauvre femme, la première, avait aussi ses lubies, et elle aussi adorait le théâtre. Mais ce vieux birbe de soixante-dix ans ! Parole, c'est vraiment comique ! Il devrait prendre de l'orviétan, il ne va pas tarder à retomber en enfance.

Soucis. Boutique. Insomnie...

4. *Tout le monde ne peut pas être tapissier*

Moi, j'ai pourtant pitié du pauvre Poquelin. Il ne lui manquait plus que ça! En novembre 1636, la deuxième femme qu'il avait eue mourut. Le père est à nouveau assis dans la pénombre, il réfléchit à sa tristesse. Maintenant, il sera tout à fait seul. Et il a six enfants. La boutique à faire marcher et toute cette marmaille à élever. Seul, toujours seul. Il ne se remariera pas une troisième fois...

Et comme par un fait exprès, au moment où mourait Catherine Fleurette, quelque chose arriva au premier-né Jean-Baptiste. Le jeune homme de quatorze ans commença à dépérir. Il continuait de travailler à la boutique, et il n'y avait pas à se plaindre : il ne fainéantait pas. Mais il ne cessait de tourner, comme une marionnette — que Dieu me pardonne — autour du Pont-Neuf! Il maigrissait, se mettait à la fenêtre, regardait au-dehors, bien qu'il n'y eût là rien d'intéressant ni de nouveau, mangeait sans appétit...

Finalement, vint le temps où il fallut s'expliquer.

— Dis-moi ce que tu as, demanda le père, qui ajouta d'une voix sourde : tu n'es pas malade, au moins?

Jean-Baptiste s'absorba dans la contemplation de ses chaussures à bout carré et ne dit rien.

Le pauvre veuf reprit :

— Je suis triste pour vous. Que vais-je faire de vous, les enfants ? Ne me mets pas au supplice... dis-moi.

Jean-Baptiste leva les yeux vers son père, puis les tourna en direction de la fenêtre et dit :

— Je ne veux pas être tapissier.

Il prit un temps de réflexion et ajouta, manifestement décidé à crever l'abcès :

— Cela me répugne profondément.

Il réfléchit encore un peu et ajouta :

— Je hais la boutique.

Et pour finir d'achever son père :

— De tout mon cœur et de toute mon âme.

Après quoi il se tut.

Il avait pris un air borné pour dire ces derniers mots. Il ne savait pas au juste ce qui allait suivre. Bien sûr, une taloche paternelle était possible. Mais il ne la reçut pas.

Un très long silence suivit. Que faire en un cas aussi extraordinaire ? Une gifle ? Non, ici une gifle ne servirait à rien. Que dire au fils ? Que c'est un sot ? Oui, il reste là, planté comme un piquet et son visage est complètement vide. Mais les yeux ne sont pas vides, ils sont brillants, comme ceux de Marie Cressé.

La boutique ne lui plaît pas ? Ce n'est peut-être qu'une impression ? Ce n'est encore qu'un enfant : à son âge, on ne peut pas savoir ce que l'on aime et ce que l'on n'aime pas. Il est peut-être simplement un peu fatigué ? Mais lui, le père, est encore plus fatigué ; il n'a absolument aucune aide à attendre et les soucis l'ont blanchi.

— Que veux-tu ? demanda le père.

— Étudier, répondit Baptiste.

À cet instant, quelqu'un frappa doucement de sa canne à la porte, et Louis Cressé pénétra dans la pénombre.

— Et voilà, dit le père en désignant le col blanc. Voyez-vous, monsieur ne veut pas m'aider à la boutique, il veut étudier.

Le grand-père prit la parole, sur un ton doux et insinuant. Il dit que tout se passerait très bien. Si le jeune homme est triste, il faut évidemment prendre des mesures.

— Quelles mesures? demanda le père.

— Eh bien, en fait, le laisser étudier! s'exclama le grand-père, d'une voix vibrante.

— Mais, il a déjà étudié à l'école paroissiale!

— Qui parle d'école paroissiale? dit le grand-père. Le petit est très doué...

— Jean-Baptiste, sors un instant, j'ai à parler avec ton grand-père.

Jean-Baptiste sortit. Et Cressé et Poquelin eurent une conversation très sérieuse.

Je n'entreprendrai pas de la rapporter. Je n'aurai que ce cri : gloire à la mémoire de Louis Cressé!

5. *Ad Majorem Dei Gloriam*

Le réputé collège de Clermont, qui devint par la suite lycée Louis-le-Grand, n'avait vraiment rien de commun avec l'école paroissiale. Il était dirigé par les membres de la puissante Compagnie de Jésus et les Pères Jésuites y avaient instauré un ordre prestigieux — « Pour la plus grande gloire de Dieu ». Et il faut avouer que tout ce qu'ils faisaient était bien fait.

Le collège, dirigé par un recteur, le père Jacques Dinet, comptait jusqu'à deux mille enfants et jeunes gens sur lesquels trois cents étaient internes tandis que les autres allaient et venaient librement. La Compagnie de Jésus dispensait son enseignement à l'élite de la France.

Les Pères professeurs donnaient aux élèves de Clermont des leçons d'histoire, de littérature ancienne, de droit, de physique et chimie, de théologie et de philosophie, et leur enseignaient le grec. Quant au latin, inutile d'en parler : outre la lecture et l'étude incessante des auteurs latins, les lycéens de Clermont devaient utiliser la langue latine dans leurs conversations entre les heures de cours. Vous admettrez que dans ces conditions on puisse posséder à fond cette langue fondamentale.

41

Certaines heures étaient réservées aux leçons de danse. À d'autres moments, on entendait les épées s'entrechoquer : les jeunes Français apprenaient à manier les armes pour défendre l'honneur du roi de France dans la mêlée des batailles, et le leur en combat singulier. Dans les grandes occasions, les internes de Clermont jouaient les pièces des auteurs de la Rome antique, Publius Térence et Sénèque notamment.

Voilà l'établissement où Louis Cressé avait fait entrer son petit-fils. Poquelin père ne pouvait aucunement se plaindre que son rejeton, futur valet de chambre du roi, fût tombé en mauvaise société. On trouvait parmi les élèves du collège une grande quantité de noms illustres : les meilleures familles de la noblesse envoyaient leurs fils à Clermont. À l'époque où Poquelin suivait en qualité d'externe l'enseignement du collège, celui-ci comptait parmi ses élèves trois princes, dont l'un n'était autre qu'Armand de Bourbon, prince de Conti, frère germain d'un autre Bourbon — Louis de Condé, duc d'Enghien, qui reçut par la suite le surnom de « Grand Condé ». En d'autres termes, Jean-Baptiste avait pour condisciple une personne de sang royal : cela suffit à montrer la qualité de l'éducation que dispensait le collège de Clermont.

Il convient de noter que les jeunes gens de sang bleu ne se mélangeaient pas aux fils de riches bourgeois, dont faisait partie Jean-Baptiste. Les princes et les marquis étaient des pensionnaires qui possédaient leurs domestiques, leurs maîtres, des heures de cours particulières et des salles réservées.

Il faut ajouter que le prince de Conti, qui jouera par la suite un rôle important dans la vie agitée de mon héros, avait sept ans de moins que lui, était entré au collège alors qu'il était encore tout enfant et ne rencontra naturellement jamais Jean-Baptiste.

Donc le jeune Poquelin se plongea dans l'étude de Platon, Térence et Lucrèce. Conformément au règlement, il se laissa pousser les cheveux jusqu'aux épaules et usa ses larges culottes sur les bancs de la classe en farcissant sa tête de latin. La boutique du tapissier se perdit dans le brouillard. Notre héros était entré dans un autre monde.

Poquelin père marmonnait :

— C'est le destin qui l'a voulu. Enfin, on n'y peut rien, je transmettrai l'affaire au deuxième fils. Celui-là deviendra peut-être avocat, ou notaire, ou Dieu sait quoi...

Vous croyez peut-être que l'*écolier* Baptiste perdit sa passion d'enfant pour le théâtre? Hélas, il n'en fut rien. Dès qu'il avait un moment de liberté, il s'arrachait aux griffes du latin pour aller comme auparavant au Pont-Neuf ou dans les théâtres; seul le grand-père avait été remplacé par la compagnie de quelques camarades d'études. Et au cours de ses années de collège, Baptiste put se familiariser plus amplement avec le répertoire de l'Hôtel de Bourgogne et du Marais. Il vit les pièces de Pierre Corneille : *La Veuve*, *La Place Royale*, *La Galerie du Palais*, et le fameux *Cid* qui apporta à son auteur une gloire retentissante et l'envie de ses confrères de plume.

Mais ce n'est pas tout. Vers la fin de ses études au lycée, Jean-Baptiste apprit à dépasser le parterre et les loges du théâtre et à pénétrer dans les coulisses, ce qui lui valut de faire une des plus importantes rencontres de sa vie : il rencontra une femme. Elle s'appelait Madeleine Béjart et était actrice. Elle avait un temps travaillé au théâtre du Marais. Madeleine était rousse, avenante, et avait, de l'avis général, beaucoup de talent. Ardente admiratrice du dramaturge Rotrou, elle était intelligente, avait un goût sûr et se signalait à l'attention par sa culture littéraire et le fait qu'elle écrivait des vers. Il n'y a donc rien d'étonnant à ce que l'envoûtante actrice parisienne ait totalement subjugué le jeune élève de Clermont, qui était de quatre ans son cadet. L'intéressant est que Madeleine paya Jean-Baptiste de retour.

Les études au collège durèrent cinq ans et s'achevèrent — furent couronnées en quelque sorte — par l'étude de la philosophie. Durant ces cinq années, Jean-Baptiste étudia consciencieusement et trouva le temps de courir les théâtres.

Mon héros devint-il un homme instruit dans ce collège? Je ne crois pas qu'aucun établissement d'enseignement puisse former un homme instruit. Mais il n'en reste pas moins qu'un enseignement bien conçu permet à quelqu'un de devenir un homme discipliné et d'acquérir des habitudes qui lui seront utiles dans le futur, quand il aura à s'instruire par lui-même.

Oui, au collège de Clermont, Jean-Baptiste apprit la discipline, apprit à respecter les sciences dont on lui avait montré le chemin. Quand il quitta le lycée, il n'y avait plus rien en lui du méli-mélo de l'école paroissiale. Son esprit avait été, comme disait Méphisto-phélès, lacé dans des brodequins espagnols.

Au cours de ses études à Clermont, Poquelin se lia d'amitié avec un certain Chapelle, fils illégitime d'un richissime financier nommé Luillier, et se mit à fréquenter sa maison. L'année où nos Clermontois achevaient leur dernière année de collège, on vit paraître dans la maison de Luillier et s'y installer en qualité d'hôte privilégié un homme très remarquable. Il s'appelait Pierre Gassendi.

Le professeur Gassendi, un Provençal, avait une solide culture; il avait accumulé des connaissances qui auraient suffi à une dizaine d'hommes. Gassendi était professeur de rhétorique, excellent historien, au fait de la philosophie, de la physique et de la mathématique. Le volume de ses connaissances, dans le seul domaine de la mathématique, était si considérable qu'on lui avait proposé, pour ne citer qu'un exemple, une chaire au Collège royal.

Mais répétons-le, le bagage de Pierre Gassendi ne se limitait pas à la mathématique.

Homme à l'esprit inquiet et aiguisé, il avait inauguré sa carrière par la lecture du célèbre philosophe péripatéticien de l'Antiquité, Aristote; il l'avait étudié à fond et, la chose faite, s'était mis à le haïr tout aussi à fond. Puis, dès qu'il eut fait la connaissance de la grande hérésie du Polonais Nicolas Copernic qui proclama à la face du monde que les anciens s'étaient trompés en assurant que la terre est le centre immobile de l'univers, Pierre Gassendi aima Copernic de toute son âme.

Gassendi était fasciné par le grand penseur Giordano Bruno, qui périt sur le bûcher en 1600 pour avoir affirmé que l'univers est infini et qu'il contient une multitude de mondes.

Gassendi était de tout cœur encore avec le génial physicien Galilée qui fut contraint, la main sur l'évangile, de renier sa conviction que la terre tourne.

Tous ceux qui avaient été assez courageux pour s'attaquer à l'enseignement d'Aristote ou des philosophes scolastiques qui l'avaient suivi, trouvaient en Gassendi le plus sûr des complices. Gassendi n'ignorait rien des thèses du Français Pierre de la Ramée qui osa contredire Aristote et qui mourut pendant la nuit de la Saint-Barthélemy. Gassendi connaissait bien l'Espagnol Juan Luis Vives qui écrasa la philosophie scolastique, et l'Anglais Francis Bacon, baron Verulam, qui s'opposa à Aristote avec son *Instauratio magna*. Mais on ne pourrait les citer tous !

Le professeur Gassendi était un novateur-né. Il vénérait la clarté et la simplicité de pensée, avait une foi sans limites dans l'expérience et tenait en grande estime l'expérimentation.

Et tout ceci reposait sur le socle de granit de son éducation philosophique personnelle : Gassendi avait puisé cette éducation dans cette même Antiquité reculée, chez le philosophe Épicure qui vécut environ trois cents ans avant notre ère.

Si l'on avait demandé à Épicure :

— À quoi se résume votre doctrine ?

On peut supposer que le philosophe aurait répondu :

— Vers quoi tend toute créature vivante ? Toute créature vivante tend vers le plaisir. Pourquoi ? Parce que le plaisir est le plus grand bien. Vivez donc en sage — efforcez-vous d'atteindre au plaisir permanent.

La formule d'Épicure avait extraordinairement frappé Pierre Gassendi qui, avec le temps, élabora sa propre doctrine.

— La seule chose innée chez l'homme, disait-il à ses élèves en pinçant sa barbiche érudite, c'est l'amour de soi. Et le bonheur est le but de la vie de tout homme ! Et quels sont les éléments du bonheur ? (Les yeux du philosophe étincelaient.) Deux, messieurs, et deux seulement : une âme en paix et un corps sain. Pour ce qui est de la santé du corps, n'importe quel médecin vous conseillera utilement. Mais pour la paix de l'âme, je vous dirai : mes enfants, ne faites pas le mal, et vous n'aurez ni repentir ni regret, qui sont les deux seules choses qui rendent les gens malheureux.

L'épicurien Gassendi avait commencé sa carrière savante par la rédaction d'une œuvre volumineuse où il démontrait la totale ineptie de l'astronomie et de la physique aristotélicienne et défendait les théories du Copernic dont je vous ai parlé. Mais cette intéressante composition resta inachevée. Si l'on en avait demandé la raison au professeur, je soupçonne fort qu'il aurait fourni la réponse que fit un certain Chrysale, héros d'une des futures comédies de Molière, à la trop savante femme Philaminte :

Oui, mon corps est moi-même, et j'en veux prendre soin.
Guenille si l'on veut ; ma guenille m'est chère.

— Je n'irai pas en prison pour Aristote, messieurs ! aurait pu dire Gassendi.

Et en effet, quand cette guenille, votre corps, sera mise en prison, que deviendra votre bel esprit philosophique ?

Bref Gassendi s'arrêta à temps, renonça à terminer son travail sur Aristote et se lança dans d'autres entreprises. L'épicurien aimait trop la vie, et l'arrêté du parlement de Paris de 1624 était encore saignant dans toutes les mémoires : Aristote avait été en quelque sorte canonisé par toutes les facultés savantes de l'époque, et le décret du parlement promettait en termes non équivoques la peine de mort à tous ceux qui oseraient s'attaquer au philosophe antique et à ses épigones.

C'est ainsi que Gassendi s'épargna de sérieux désagréments; il effectua un voyage en Belgique et en Hollande, écrivit une série d'importants travaux et finit par se retrouver à Paris chez son vieil ami Luillier.

Le conseiller, qui n'était pas bête, demanda au professeur d'enseigner à titre privé les sciences à son fils Chapelle. Et comme c'était en outre un homme à l'esprit ouvert, il autorisa son fils à réunir un groupe de jeunes gens qui recueilleraient avec lui l'enseignement de Gassendi.

Furent admis dans le groupe : Chapelle, notre Jean-Baptiste, un certain Bernier, jeune homme qui ressentait une très vive attirance pour les sciences de la nature et qui fit par la suite de nombreux voyages en Orient — d'où le surnom de Grand Mogol qu'on lui donna à Paris —, et pour finir un personnage tout à fait inattendu dans cette compagnie : plus âgé que les autres, celui-ci ne sortait pas du collège de Clermont mais était un officier de la garde récemment blessé à la guerre, ivrogne, bretteur, hâbleur, don Juan, dramaturge débutant et non sans talent : alors qu'il suivait le cours de rhétorique du collège de Beauvais, il avait écrit une pièce intéressante, *Le Pédant joué*, dans laquelle il mettait en scène son directeur Jean Grangier. Il s'appelait Cyrano de Bergerac.

Toute cette compagnie assemblée dans le somptueux appartement de Luillier buvait donc avec avidité les discours enflammés de Gassendi. Voilà où mon héros a perfectionné son apprentissage! Chez ce Provençal au visage raviné par les passions! De lui Jean-Baptiste reçut en héritage la philosophie triomphante d'Épicure et bon nombre de connaissances sérieuses sur les sciences de la nature. À la lumière envoûtante des bougies de cire, Gassendi lui insuffla l'amour du raisonnement clair et précis, la haine de la

48

scolastique, le respect de l'expérience, le mépris du toc et du clinquant.

Le moment vint enfin où le collège de Clermont et les leçons de Gassendi eurent une fin. Mon héros devint adulte.

— Va à Orléans, dit Poquelin père au Clermontois achevé, et passe l'examen de la faculté de droit. Obtiens ta licence. Et aie la bonté de ne pas échouer, car j'ai dépensé pas mal d'argent pour toi.

Et Jean-Baptiste partit pour Orléans afin de décrocher un diplôme de droit. Je ne sais pas au juste combien de temps il passa dans cette ville, et à quelle époque précise. Ce fut apparemment au début de l'année 1641.

L'un des innombrables détracteurs de mon héros a soutenu, bien des années après, qu'à Orléans n'importe quelle bourrique pouvait obtenir son diplôme, à condition que cette bourrique ait de l'argent. Mais ce n'est pas vrai : une bourrique ne peut pas décrocher de diplôme, et mon héros n'a rien d'une bourrique.

Il est vrai, certains jeunes gens heureux de vivre qui allèrent passer leur examen à Orléans ont raconté qu'ils étaient arrivés sur le soir à l'université, qu'ils avaient réveillé les professeurs, que ceux-ci avaient en bâillant enfilé leurs toques magistrales par-dessus leurs bonnets de nuit graisseux et les avaient sur-le-champ examinés et gradués. Mais il est très possible que les jeunes gens aient menti.

Quoi qu'il ait pu se passer à Orléans, on sait de manière sûre que Jean-Baptiste eut sa licence de droit.

Donc, plus de gamin en petit col blanc, plus d'écolier aux longs cheveux. Devant moi, un homme. Il a des boucles de cheveux artificielles, il porte une perruque claire.

Je regarde cet homme avec avidité.

Il est de taille moyenne, un peu voûté, la poitrine creusée. Dans un visage bistré aux pommettes saillantes, les yeux sont écartés, le menton pointu, le nez large et plat. Bref, il n'a vraiment rien pour plaire. Mais les yeux sont remarquables. Je lis en eux un étrange, perpétuel sourire sarcastique, et en même temps un éternel étonnement devant le monde qui l'entoure. Il y a dans ces yeux quelque chose de voluptueux, de féminin presque, et tout au fond — un mal caché. Il y a un ver, croyez-moi, chez cet homme de vingt ans. Un ver qui déjà le ronge.

Cet homme bégaie et respire à contretemps quand il parle.

Je vois, c'est un impulsif. Il a des sautes d'humeur brutales. Ce jeune homme passe facilement de moments de joie débridée à des moments d'hésitation pénible. Il découvre les aspects comiques des gens et aime à les tourner en dérision.

Parfois il se découvre par mégarde. Tout de suite après, il tente d'être secret et de ruser. Il est par moments follement courageux, mais capable de retomber aussitôt dans l'irrésolution et la lâcheté. Oh, croyez-moi, dans ces conditions, il aura une vie difficile et se fera beaucoup d'ennemis !

Mais place à la vie !

6. *Aventures peu croyables*

Le temps que nous décrivons fut pour la France un temps tumultueux. La vie n'apparaissait paisible qu'au collège de Clermont ou dans la boutique paternelle.

La France fut secouée par des guerres extérieures et des troubles intérieurs, et cela dura de nombreuses années. Au début de l'année 1642, le roi Louis XIII et le tout-puissant régent de fait de la France, le cardinal-duc Armand de Richelieu, partirent rejoindre les troupes du Sud pour reprendre aux Espagnols la province du Roussillon.

Les tapissiers royaux (il y en avait plusieurs) servaient le roi à tour de rôle, et Poquelin père avait eu les mois de printemps : avril, mai et juin. Retenu à Paris en 1642 par des affaires commerciales, le père résolut d'envoyer son fils aîné le remplacer au service de l'appartement royal. Il ne fait pas de doute que Poquelin avait ce faisant formé l'idée d'accoutumer Jean-Baptiste à la vie de la cour.

Le fils se conforma à l'injonction paternelle et prit au début du printemps la route du Sud. Instantané-ment, de mystérieuses ténèbres se refermèrent sur mon héros, et personne ne sait au juste ce qu'il devint dans

51

le Sud. Mais le bruit courut que Jean-Baptiste fut impliqué dans une aventure peu ordinaire.

Le cardinal de Richelieu, qui tenait entièrement en son pouvoir le faible et médiocre roi Louis XIII, était détesté par de très nombreux représentants de l'aristocratie française.

En 1642, un complot se trama contre le cardinal, et l'âme de ce complot fut le jeune marquis de Cinq-Mars. Vieux renard de la politique, Richelieu eut vent de la conspiration et, bien qu'il fût protégé par le roi, on décida d'arrêter Cinq-Mars sous l'inculpation de crime de haute trahison — intelligence avec l'Espagnol.

Dans la nuit du 12 au 13 juin, dans une ville du Sud, on dit qu'un jeune homme inconnu s'approcha de Cinq-Mars et glissa un billet dans la main du chevalier. S'étant retiré un peu à l'écart des autres courtisans, Cinq-Mars lut à la lumière tremblante d'un flambeau la brève missive et trouva son salut dans la fuite. Le billet portait ces mots : « Votre vie est en danger. » Il n'y avait pas de signature.

Il paraîtrait que ce billet avait été écrit et remis par le jeune valet de chambre à la cour Poquelin, désireux dans sa grandeur d'âme de sauver Cinq-Mars d'une mort certaine. Mais le billet ne fit que retarder la perte du jeune marquis. En vain il chercha un asile. Il ne lui servit de rien de se cacher dans le lit de sa maîtresse, Madame de Siousac : il fut pris le lendemain même et rapidement exécuté. Cent quatre-vingt-quatre ans plus tard, sa mémoire fut perpétuée par le roman de l'écrivain Alfred de Vigny, et cinquante et un ans après Vigny — dans un opéra — par le fameux auteur de *Faust,* le compositeur Gounod.

Mais certains affirment qu'il n'y a jamais eu d'histoire de billet, que Jean-Baptiste n'a jamais rien eu à voir avec l'affaire Cinq-Mars, et qu'il a rempli paisiblement et ponctuellement son office de laquais royal sans se mêler de ce dont il n'était pas supposé se mêler. Mais alors on ne comprend pas très bien qui, et pourquoi, a pu inventer cette histoire de billet?

À la fin juin, le roi séjourna à quelques lieues de Nîmes, à Montfrin, et là se produisit une deuxième aventure qui, comme le verra le lecteur, jouera dans la vie de notre héros un rôle beaucoup plus grand que l'épisode de l'infortuné Cinq-Mars. C'est à Montfrin, aux eaux, que le valet de chambre du roi, dont l'office pour cette année s'achevait ou était achevé, retrouva son amie Madeleine Béjart dont il avait été un temps séparé. L'actrice voyageait et donnait des représentations avec une troupe ambulante. On ne sait pas exactement à quel moment le valet de chambre quitta la suite du roi. Mais on peut du moins dire qu'il ne regagna pas Paris à l'échéance de son service, c'est-à-dire en juillet 1642, mais qu'il voyagea quelque temps dans le Sud et, comme le rapportent les gens qui se sont intéressés à lui, dans une intimité suspecte avec madame Béjart. Quoi qu'il en soit, à l'automne de l'année 1642, Poquelin revint dans la capitale et rapporta à son père qu'il avait rempli sa mission.

Le père s'enquit des projets d'avenir de son héritier. Jean-Baptiste répondit qu'il avait l'intention de se perfectionner dans la jurisprudence. Là, pour autant que je sache, Jean-Baptiste s'établit hors de la maison paternelle et l'on commença à dire en ville que le fils aîné de Poquelin était avocat ou se préparait à l'être.

La plus complète stupeur aurait saisi quiconque aurait eu l'idée de voir de plus près la manière dont Jean-Baptiste se préparait à son rôle d'avocat. Personne n'avait jamais entendu dire que les charlatans du Pont-Neuf fussent une pépinière d'avocats! Laissant ses livres de droit dans son appartement, Jean-Baptiste se présenta à l'insu de son père dans une de ces troupes de charlatans et proposa ses services pour n'importe quel emploi, y compris celui du crieur qui racole les gens à l'entrée de la baraque. Voilà où en était la jurisprudence!

Par la suite, les ennemis de Jean-Baptiste — et ils furent nombreux — dirent en riant fielleusement que mon héros faisait le pitre du côté des halles et avalait des serpents pour divertir la tourbe. Avalait ou avalait pas, je ne peux rien dire de certain, mais je sais qu'à cette époque il se plongea avec avidité dans l'étude de la tragédie et commença à jouer çà et là dans des spectacles d'amateurs.

La lecture de Corneille, qui enflammait la nuit le cerveau de mon héros, les sensations inoubliables retirées des exhibitions de rue, l'odeur lourde du masque qui une fois revêtu ne peut plus jamais être quitté achevèrent d'empoisonner le juriste manqué, et un beau matin, en éteignant ses chandelles au-dessus du *Cid* qu'il lisait, il décida que le moment était venu pour lui d'étonner le monde.

Effectivement, il étonna le monde, et la première victime de cet étonnement fut le malheureux martyr Poquelin père.

7. *L'illustre bande*

Dans les premiers jours de janvier 1643, année qui fut marquée par de nombreux événements, Jean-Baptiste parut devant son père et déclara que tous ces projets visant à l'enrôler dans la corporation des avocats étaient du délire pur et simple, que jamais de sa vie il ne serait notaire, qu'il n'avait pas l'intention de devenir un Docte, et surtout qu'il ne voulait pas entendre parler de commerce de tapisserie. Il irait là où l'attirait depuis son enfance sa vocation, c'est-à-dire qu'il serait acteur.

Ma plume se refuse à dépeindre ce qui se passa dans la maison.

Quand le père eut quelque peu repris ses esprits, il tenta néanmoins de dissuader son fils et lui dit tout ce que le devoir paternel lui ordonnait de dire. Que la profession d'acteur est la plus méprisée de toutes les professions. Que la sainte Église rejette les acteurs de son sein. Que seul un mendiant ou un vagabond peut en être réduit à cette extrémité.

Le père menaçait, le père implorait.

— Va, va réfléchir, je t'en prie, et ensuite reviens me voir !

Mais le fils refusa tout net de réfléchir à quoi que ce

soit. Le père se précipita alors chez le curé et le supplia d'aller dissuader Jean-Baptiste de ses projets.

Le serviteur de Dieu accéda à la prière de son honorable paroissien et vint parler au fils; mais les résultats de ses efforts furent si étonnants qu'on ose à peine en parler. On assura dans Paris qu'après deux heures de conversation avec un Jean-Baptiste déchaîné, le ministre du culte ôta sa soutane noire et alla s'enrôler dans la même troupe que lui.

Je déclare tout net que ceci est peu vraisemblable. Pour autant que je sache, aucun prêtre ne se lança dans le théâtre vers cette époque, mais en revanche un certain Georges Pinel joua vraiment un étrange tour à Poquelin père.

Ce Georges Pinel s'était un temps occupé, à la requête du père, d'apprendre à Jean-Baptiste la comptabilité commerciale. Par ailleurs, Pinel entretenait avec Poquelin des relations d'ordre financier, en ce sens qu'il lui empruntait de temps en temps de l'argent.

Au désespoir et ne sachant plus que faire, Poquelin se tourna vers Pinel pour lui demander de détourner son ancien élève de ses projets. L'accommodant Pinel eut effectivement une conversation avec Jean-Baptiste, puis alla communiquer à Poquelin père les résultats de son entrevue; à ce qu'il rapporta, Jean-Baptiste l'avait tout à fait convaincu, de sorte que lui, Pinel, abandonnait définitivement la comptabilité pour se consacrer à la scène en compagnie du fils transfuge.

— Trois fois maudit soit ce vaurien de Pinel, à qui j'avais en plus prêté cent quarante livres! dit le malheureux père pour saluer le départ de Pinel, et il rappela son fils.

C'était un 6 janvier, jour mémorable dans la vie du père.

— Alors, tu n'as pas changé d'avis? demanda Poquelin.

— Non, ma décision est irrévocable, répondit le fils, en qui coulait manifestement le sang des Cressé, et non celui des Poquelin.

— Dis-toi bien, dit le père, que je t'enlève le titre de valet de chambre du roi. Tu dois me le rendre. Je me repens d'avoir écouté ton grand-père et de t'avoir fait donner de l'instruction.

L'inconscient et impénitent Jean-Baptiste répondit qu'il renonçait volontiers au titre et qu'il ne s'opposait pas à ce que le père le transmît à tel de ses autres fils qu'il lui plairait.

Le père exigea une renonciation écrite et Jean-Baptiste signa sans balancer une minute ce papier qui, comme il apparut par la suite, n'avait aucune valeur et ne servit à rien.

Puis le partage commença. Il revenait à Jean-Baptiste environ cinq mille livres sur l'héritage maternel. Le père marchanda, comme à la foire. Il ne voulait pas admettre que l'or pût s'écouler dans les bourses trouées de comédiens errants. Et il avait trois fois raison. Bref il remit à son fils six cent trente livres, et c'est avec cette somme que le fils quitta la maison paternelle.

Il prit immédiatement le chemin de la place Royale, le chemin d'une famille qui était infiniment chère à son cœur : il s'agissait de la famille Béjart.

Joseph Béjart, sieur de Belleville, petit fonctionnaire à l'Administration centrale des Eaux et Forêts, vivait à Paris avec son épouse, née Marie Hervé, et avait quatre enfants.

La famille était remarquable en ceci que tout le monde, à commencer par le sieur de Belleville lui-même, brûlait de la passion du théâtre. La fille Madeleine, que nous connaissons déjà, était une excellente actrice professionnelle. Le fils aîné Joseph et la fille Geneviève qui, avec ses dix-neuf ans, venait immédiatement en âge après Madeleine, non contents de se produire dans des spectacles d'amateur, rêvaient de fonder un théâtre.

Le plus jeune fils, Louis, marchait naturellement sur les traces de ses aînés et s'il n'avait pas encore fait de théâtre, c'était uniquement à cause de son jeune âge — il avait environ treize ans. Béjart-Belleville encourageait vivement ses enfants dans leurs activités — d'autant qu'il avait lui-même tenté de se lancer dans la carrière théâtrale — et la mère aimante n'avait rien contre les inclinations de ses enfants.

Jean-Baptiste eût difficilement pu se trouver en meilleure compagnie.

Mais l'amour du théâtre n'était pas le seul lien entre Poquelin et les Béjart. Il ne fait pas de doute que Madeleine et Poquelin se connaissaient et s'aimaient déjà.

Il faut ici noter que la famille Béjart se trouvait en voyage hors de Paris depuis la fin de l'année 1641 et n'avait regagné la capitale qu'à la date approximative où notre héros y était revenu, c'est-à-dire au début de l'année 1643.

Donc, en janvier 1643, Poquelin entra, avec l'argent de son héritage, dans la maison des Béjart, et la demeure de la place Royale devint le centre d'une agitation inusitée. On vit apparaître chez les Béjart des jeunes gens d'allure douteuse, au sens théâtral, bientôt suivis par des acteurs professionnels expérimentés et déjà usés.

Pinel était comme un poisson dans l'eau et étincelait de tous ses feux au milieu de cette bohème. Je jure que personne au monde ne serait parvenu à faire ce qu'il fit : il se présenta à Poquelin père et réussit à lui soutirer encore deux cents livres pour son fils, sur le compte duquel il raconta des choses invraisemblables. On dit qu'il se conduisit avec le tapissier à la cour comme Scapin avec Géronte dans la comédie de Molière. Tout est possible !

L'affaire fut mûre l'été de l'année 1643. Le 30 juin dans la demeure de la veuve Marie Hervé (le sieur de Belleville s'était éteint au mois de mars de cette même année), une convention solennelle fut conclue en présence de monsieur Maréchal, avocat au parlement de Paris. L'acte annonçait qu'une compagnie de dix personnes fondait un nouveau théâtre.

Voilà où étaient passées les six cent trente livres, ainsi que les deux cents suivantes ! De l'argent avait aussi été fourni par Madeleine, femme très économe qui avait réussi à mettre de côté une somme confortable au cours de sa carrière artistique. Marie Hervé, qui aimait ses enfants à la folie, racla les fonds de tiroir et jeta également son capital dans l'entreprise. Les autres, à ce qu'il semble, n'avaient pas un sou vaillant et ne pouvaient apporter à la cause commune que leur énergie et leur talent. Quant à Pinel, il apportait son expérience de la vie.

Sans modestie excessive, le groupe intitula le futur théâtre « Illustre-Théâtre », et tous ceux qui y entrèrent se donnèrent le nom d' « Enfants de la Famille » — ce qui peut donner à penser qu'entre les nouveaux serviteurs des muses régnait cette harmonie qui, selon

Aristote, régit l'univers tout entier. Les « Enfants de la Famille » se composaient des trois Béjart — Joseph, Madeleine et Geneviève —, de deux jeunes filles — Malingre et des Urlis, d'un certain Germain Clérin, du jeune scribe Bonnenfant, de l'acteur professionnel expérimenté Denis Bey, du déjà nommé Georges Pinel et enfin de l'ardent chef de file de la compagnie, notre Jean-Baptiste Poquelin.

D'ailleurs, dès l'instant que fut créé l' « Illustre-Théâtre », Jean-Baptiste Poquelin cessa d'exister et à sa place parut Jean-Baptiste Molière. D'où vient ce nouveau nom ? On ne le sait pas. Certains expliquent que Poquelin a utilisé un pseudonyme qui traînait dans les milieux du théâtre et de la musique, d'autres que Jean-Baptiste a repris le nom de Molière à une obscure localité... Certains disent que c'est le nom d'un écrivain mort en 1623...

Quoi qu'il en soit, Poquelin devint Molière.

Quand il apprit la chose, le père se contenta de faire un geste fataliste de la main et Georges Pinel, pour ne pas être en reste sur son fougueux ami, prit le nom de Georges Couture.

La formation à Paris d'une nouvelle troupe fit grosse impression, et les acteurs de l'Hôtel de Bourgogne baptisèrent sur-le-champ les Enfants de la Famille « Bande de loqueteux ».

La bande négligea de relever ce qualificatif peu amène et se mit à l'œuvre de la manière la plus énergique, sous la direction de Molière et de Bey, et de Madeleine pour la partie financière. Ils commencèrent par aller voir un certain monsieur Gallois du Mestayer qui loua à la bande une salle de jeu de paume dont il était propriétaire et qu'il avait laissée dans un état d'abandon extrême, située près des Fossés de Nesle. Ils conclurent avec Gallois un accord par lequel celui-ci s'engageait, conjointement avec les menuisiers, à remettre la salle en état et à y disposer une scène.

Ils trouvèrent quatre musiciens — Godard, Tisse, Lefebvre et Gaburet, offrirent vingt sols par jour à chacun d'eux et s'attaquèrent aux répétitions. Les « Enfants de la Famille », qui avaient déjà préparé quelques pièces, ne voulurent pas perdre un temps précieux et, en attendant que la salle soit remise en état, s'entassèrent dans une charrette et partirent jouer la tragédie à la foire de Rouen.

De là, ils adressèrent plusieurs lettres à Gallois pour le presser d'activer les travaux de réfection de la salle. Après quelques représentations qui rencontrèrent auprès de l'indulgent public de la foire un succès moyen, ils rentrèrent à Paris et conclurent un accord avec un homme absolument délicieux, Léonard Aubry, poseur de pavés de son métier, qui entreprit de disposer devant le théâtre un pavage somptueux.

— Vous comprenez, monsieur Aubry, des carrosses vont venir ici, disait monsieur Molière en se frottant fiévreusement les mains.

Il communiqua son inquiétude à monsieur Aubry, et celui-ci se tira brillamment de sa tâche : le pavé fut solide et beau.

Et enfin, un soir de la nouvelle année 1644, le théâtre ouvrit avec une tragédie.

Je n'ose raconter ce qui se passa ensuite. Je ne crois pas qu'aucun théâtre au monde ait jamais fait un pareil four !

À l'issue des premières représentations, les acteurs des autres théâtres racontaient avec des mines épanouies que dans le fossé de la Tour de Nesle, à l' « Illustre-Théâtre », à l'exception des parents des comédiens qui avaient des billets de faveur, il n'y avait pas un chat ! Et, hélas, ce n'était pas loin d'être la vérité. Les efforts de monsieur Aubry avaient été vains : son pavé n'avait pas vu passer la moindre roue de carrosse !

Tout avait commencé ainsi : dans la paroisse voisine de Saint-Sulpice avait surgi un prédicateur qui, parallèlement aux représentations théâtrales, annonçait dans des causeries enflammées que le diable retiendrait dans ses griffes non seulement les comédiens maudits, mais aussi ceux qui iraient voir leurs comédies !

La nuit, Jean-Baptiste Molière nourrissait des pensées féroces sur le plaisir qu'il aurait à couper le cou de ce prédicateur !

Je dois dire ici à la décharge du prédicateur qu'il n'y était peut-être pour rien. À moins que ce ne fût sa faute si le médecin était incapable de guérir le bégaiement de Joseph Béjart qui tenait les emplois d'amant ? Ou si Molière lui-même bégayait en jouant les rôles tragiques ?

Dans l'humide et sombre salle, dégoulinantes, les chandelles de suif brûlaient sur de méchants lustres de fer-blanc. Et le crincrin des quatre violons n'évoquait nullement le tonnerre d'un grand orchestre. Les dramaturges illustres ne regardaient pas du côté de la Tour de Nesle, et quand bien même l'eussent-ils fait, comment le scribe Bonnenfant eût-il pu à lui seul retransmettre leurs monologues sonores ?

Et la situation empirait de jour en jour. Le public se conduisait de manière scandaleuse et se livrait à des plaisanteries sinistres, telles que pousser des jurons à voix haute au milieu de la représentation...

Il y avait bien dans la troupe Madeleine qui était

une excellente actrice, mais elle ne pouvait à elle seule jouer tous les rôles de la tragédie! Admirable amie de Jean-Baptiste Molière! Elle fit tout ce qu'elle put pour sauver l' « Illustre-Théâtre ». Quand arriva à Paris, au sortir d'une période d'exil et de palpitantes aventures, son ancien amant le comte de Modène, Madeleine alla le voir, et celui-ci parvint à obtenir pour les infortunés de la Tour de Nesle le droit de s'intituler « Troupe de Son Altesse royale le prince Gaston d'Orléans ».

L'astucieux Molière se découvrit immédiatement les talents d'un véritable directeur de théâtre, engagea des danseurs et monta une série de ballets pour les chevaliers du prince. Mais les ballets laissèrent de glace les chevaliers.

Alors un soir l'obstiné Jean-Baptiste annonça à Madeleine que tout le mal venait du répertoire et fit appel à Nicolas Desfontaines, acteur et dramaturge.

— Il nous faut un répertoire étincelant, lui dit Molière. Illustre!

Desfontaines déclara à Molière qu'il l'avait bien compris et, avec une enviable promptitude, présenta au théâtre ses propres pièces. L'une d'elles s'appelait *Perside, ou la suite de l'Illustre Bassa*, l'autre *L'Illustre Olympie, ou le Saint Alexis*, la troisième *L'Illustre comédien, ou le martyre de Saint Genest*. Mais le public parisien, manifestement ensorcelé par le prédicateur, ne se dérangea ni pour *L'Illustre Olympie* ni pour *L'Illustre Bassa*.

Une certaine consolation fut apportée par la tragédie de Tristan Lhermite *Constantin le Grand*, où le rôle d'Épicharis était magnifiquement interprété par Madeleine. Mais cela ne dura pas.

Quand les économies de Madeleine furent épuisées,

les « Enfants de la Famille » s'adressèrent à Marie Hervé qui pour la première fois pleura en voyant ses enfants et leur donna son dernier argent.

Puis la bande tourna son regard vers les Halles et vers Jean-Baptiste père. Une scène très pénible se déroula dans la boutique. Quand on lui demanda de l'argent, Poquelin ne put d'abord prononcer une parole. Et... rendez-vous compte, il donna de l'argent. Je suis certain qu'on lui avait dépêché Pinel.

Puis ce fut au tour de Gallois de venir demander aux comédiens s'ils comptaient ou non payer le loyer — avec prière de fournir une réponse catégorique.

Il n'obtint pas de réponse catégorique. On lui donna une réponse évasive, pleine de serments et de promesses.

— Alors déguerpissez, s'écria Gallois. Vous, vos violons, et vos actrices rousses !

Cette dernière parole était superflue, puisqu'il n'y avait que Madeleine de rousse dans la troupe.

— J'avais justement l'intention de quitter cette fosse répugnante ! s'écria Molière.

Et la confrérie, sans jeter un regard en arrière sur l'épouvantable année qui venait de s'écouler, suivit son capitaine jusqu'au port Saint-Paul, dans une salle qui ressemblait trait pour trait à celle de monsieur Gallois. Cette salle s'appelait « La Croix-Noire », et elle ne tarda pas à justifier son nom.

Après que l'illustre troupe eut donné la pièce de Magnon *Artaxerce*, monsieur de Molière, qui était — à juste titre — considéré à Paris comme le chef de file de la bande, se retrouva en prison. Il était poursuivi par un usurier, un blanchisseur et un fournisseur de chandelles du nom d'Antoine Fausser.

C'étaient les chandelles de ce dernier qui dégoulinaient sur les croisées de monsieur Molière à l' « Illustre-Théâtre ».

Pinel courut chez Poquelin père.

— Comment?... Vous?... dit Jean-Baptiste Poquelin, suffoquant. Vous... C'est vous qui venez? Encore chez moi?... Qu'est-ce que cela signifie?

— Il est en prison, répliqua Pinel, je ne vous en dirai pas davantage, monsieur Poquelin. Il est en prison!

Et Poquelin père... donna de l'argent.

Mais des créanciers se déclaraient de tous côtés, et Jean-Baptiste Molière serait resté au cachot jusqu'à la fin de ses jours s'il n'y avait eu pour se porter garant des dettes de l' « Illustre-Théâtre » Léonard Aubry, l'homme qui avait pavé de manière si magistrale et inutile l'entrée du premier théâtre de Molière.

J'ignore quel philtre Georges Pinel fit boire à Léonard Aubry, mais le nom de celui-ci passera à la postérité!

Une fois son chef sorti des verrous, la troupe de l' « Illustre-Théâtre » tout entière fit à monsieur Aubry la promesse solennelle de payer au fur et à mesure les dettes dont il avait répondu.

Avec le retour de son chef, la troupe reprit les représentations. Molière parvint à s'assurer la protection d'Henri de Guise, duc de Lorraine, qui fit magnanimement don à la troupe de sa fastueuse garde-robe. La confrérie revêtit les somptueux costumes et mit les rubans brodés d'or en gage chez les usuriers. Mais les rubans ne suffirent pas! La confrérie chancela. Les premiers signes de panique commencèrent à se manifester. Il fallut abandonner le port Saint-Paul et la sépulcrale « Croix-Noire », emménager dans une nouvelle salle. Celle-ci portait un nom radieux : la « Croix-Blanche ».

Hélas ! Elle ne réussit pas mieux à la troupe que la « Croix-Noire ».

Les premiers à partir, faute de pouvoir supporter les privations, furent Pinel, Bonnenfant, puis Bey. La pénible agonie de l' « Illustre-Théâtre » se prolongea encore quelque temps. On vendit tout ce qu'il était possible de vendre : costumes, décors...

À l'automne 1645, l' « Illustre-Théâtre » cessa définitivement d'exister.

C'était l'automne. Dans un petit appartement de la rue des Jardins Saint-Paul, au soir, à la lumière d'une bougie, une femme était assise. Devant elle, un homme, debout. Trois dures années, les dettes, les usuriers, la prison et l'humiliation l'avaient terriblement changé. Aux coins de ses lèvres s'étaient déposés les plis sarcastiques de l'expérience, mais il suffisait de regarder attentivement son visage pour comprendre qu'aucun revers ne l'arrêterait jamais. Cet homme ne pouvait être ni notaire, ni avocat, ni marchand de meubles. Le jeune homme de vingt-quatre ans qui faisait face à Madeleine était un acteur professionnel endurci, qui en avait vu de toutes les couleurs. Sur ses épaules flottaient les restes d'une veste du duc, et quand il marchait à travers la pièce, on entendait tinter dans ses poches ses derniers sous.

Le chef déchu de l' « Illustre-Théâtre » alla à la fenêtre et proféra les malédictions les plus choisies à l'adresse de Paris et de tous ses faubourgs, de la « Croix-Noire » et de la « Croix-Blanche », et du Fossé de Nesle.

Puis il traita de tous les noms le public parisien qui ne comprenait rien à l'art et ajouta qu'il n'y avait à

Paris qu'un seul homme digne de ce nom, le paveur du roi, Léonard Aubry.

Il continua longtemps encore à discourir, sans recevoir de réponse, et finit par demander, au désespoir :

— Et maintenant, je suppose que tu vas m'abandonner, toi aussi ? Après tout, tu peux tenter ta chance à l'Hôtel de Bourgogne.

Et il ajouta que la troupe de l'Hôtel était un ramassis de pendards.

La rousse Madeleine écouta jusqu'au bout ces bêtises, en silence. Puis les amants commencèrent à chuchoter, et leur conciliabule dura jusqu'au matin. Mais ce qu'ils imaginèrent, nous ne le savons pas.

8. *Le comédien ambulant*

Malheureusement, on ne sait absolument pas ce que devint après ceci notre héros. Il fut comme effacé de la surface de la terre et on ne le vit plus à Paris. Pendant toute une année, il ne donna pas signe de vie, mais ensuite des témoins sujets à caution affirmèrent avoir vu en Italie, dans une rue de Rome, au cours de l'été 1647, un homme qui ressemblait comme deux gouttes d'eau au directeur de théâtre en faillite, Molière : debout, sous un soleil brûlant, l'homme conversait cérémonieusement avec l'envoyé français, monsieur de Fontenay-Mareuil.

À l'automne de cette même année 1647 se produisirent en Italie, à Naples, de graves événements. Un courageux pêcheur, un certain Tomaso Aniello, souleva la population contre le vice-roi d'Espagne, le duc d'Arcos, qui régnait alors sur la ville. Les coups de pistolet claquèrent à travers les rues, le sang empourpra le pavé. Tomaso fut pris, exécuté, sa tête promenée au bout d'une pique, mais le peuple de Naples lui fit des funérailles solennelles et plaça dans son cercueil une épée et un bâton de maréchal.

Après quoi, les Français se mêlèrent de la querelle et le duc de Guise, Henri II de Lorraine, entra dans Naples avec ses troupes.

Monsieur de Molière, ex-directeur de l'infortuné « Illustre-Théâtre » se serait donc trouvé dans la suite du duc de Guise. Pourquoi était-il dans cette suite, ce qu'il faisait à Naples, personne ne pouvait au juste l'expliquer. Il s'en trouvait aussi pour soutenir que Jean-Baptiste n'avait jamais mis les pieds de sa vie à Rome ou à Naples, et qu'on l'avait confondu avec un autre jeune homme à l'esprit aventureux.

Bien plus, d'autres témoins avançaient tout autre chose. D'après eux, l'été 1646, un pauvre convoi avait quitté Paris par le faubourg Saint-Germain et avait pris la direction du sud de la France. Des bœufs efflanqués tiraient les charrettes bourrées d'un invraisemblable saint-frusquin. Dans la voiture de tête, avait pris place, emmitouflée dans un châle pour se protéger de la poussière, une femme aux cheveux roux, et cette femme n'était autre que Madeleine Béjart. Si cela est vrai, il convient de retenir le nom de Madeleine Béjart. La ravissante actrice n'avait pas abandonné en un moment difficile son amant qui avait perdu sa première bataille à Paris. Elle n'avait pas essayé d'entrer au théâtre du Marais ou à l'Hôtel de Bourgogne. Elle n'avait pas non plus échafaudé de plans savants pour attirer dans ses filets et épouser son premier amant, le comte de Modène. C'était une femme fidèle et forte, tout le monde sait cela !

À côté de la charrette boitillait un jeune homme d'une quinzaine d'années et les gamins des villages traversés le harcelaient, sifflant et criant à son passage :

— Vilain boiteux !

Et ajoutaient après examen :

70

— Et il louche! Il louche!

Et c'est vrai, Louis Béjart boitait et louchait.

Quand les nuages de poussière se dissipaient, on pouvait distinguer ceux qui se trouvaient dans les attelages. C'étaient pour la plupart des visages connus. Il y avait Joseph Béjart, l'amant tragique et bègue, son acariâtre sœur Geneviève...

La caravane était conduite, on le devine aisément, par Jean-Baptiste Molière.

En deux mots, quand l' « Illustre-Théâtre » s'était effondré, Molière avait sauvé de ses ruines les restes de la Garde fidèle et les avait mis sur roues.

Cet homme ne pouvait pas vivre une seconde hors du théâtre, et, après trois ans de travail à Paris, il avait trouvé la force de se faire comédien ambulant. Mais ce n'est pas tout. Comme vous le voyez, il avait réussi par ses discours enflammés à entraîner à sa suite la famille Béjart. Et grâce à lui, tous les Béjart se retrouvèrent dans la poussière des routes françaises. Mais la compagnie comptait aussi d'autres personnages : Charles du Fresne, tragédien professionnel, décorateur et régisseur qui avait eu un temps sa propre troupe, et le magnifique René Berthelot, alias Du Parc, comique lui aussi professionnel, qui reçut très vite et conserva toute sa vie le sobriquet de Gros-René parce qu'il interprétait les rôles de domestiques balourds.

Dans sa voiture, le chef de la caravane transportait, enveloppées dans des balluchons, les pièces de Tristan, Magnon et Corneille.

Les premiers temps, la vie fut très dure pour les nomades. Il fallait souvent dormir dans les granges et jouer dans les remises des villages, avec quelques chiffons sales tendus en guise de rideau.

Parfois, d'ailleurs, ils tombaient sur de riches châteaux et, si le digne seigneur propriétaire de l'endroit manifestait, pour rompre son ennui, le désir de voir les comédiens, les acteurs de Molière, crottés et sentant la sueur de la route, jouaient dans les salles de réception.

Quand ils arrivaient dans un nouvel endroit, les acteurs commençaient par ôter respectueusement leurs chapeaux râpés et allaient demander aux autorités locales la permission de jouer pour la population.

Les autorités locales, comme de juste, accueillaient les comédiens sans aucune aménité, avec insolence même, et glissaient sous leurs pas les tracasseries les plus stupides.

Les acteurs répondaient qu'ils voulaient représenter une tragédie en vers du très honorable monsieur Corneille...

Je ne crois pas que les autorités locales aient compris quelque chose aux vers de Corneille. Elles n'en exigeaient pas moins qu'on soumît ces vers à leur examen préalable. La chose faite, il arrivait que le spectacle soit interdit. Les motifs d'interdiction étaient variés. Le plus souvent, c'était :

— Nos gens sont pauvres, et n'ont pas d'argent à gaspiller pour vos représentations.

Il y avait aussi des réponses sibyllines :

— Nous craignons que votre spectacle ne soit pas de nature à...

Il y avait même des réponses réconfortantes — on voit de tout dans cette vie vagabonde !

Partout, le clergé accueillait les comédiens avec une hostilité constante. Il fallait alors avoir recours à divers subterfuges, tels que proposer de faire don de la première recette au monastère, ou de l'affecter aux ressources des bonnes œuvres. Ce procédé permettait très souvent de sauver la représentation.

En arrivant dans un bourg, les comédiens commençaient par se mettre en quête de la maison de jeu ou du hangar réservé au jeu de paume dont les Français étaient très friands. Après s'être mis d'accord avec le propriétaire, ils montaient la scène, revêtaient leurs misérables costumes et jouaient.

Ils dormaient dans les auberges, parfois à deux dans un même lit.

Ils voyagèrent ainsi à travers toute la France, au hasard des itinéraires. On rapporte qu'au début de leur vie nomade, les comédiens de Molière furent vus au Mans.

En 1647, ils arrivèrent dans la ville de Bordeaux, province de Guyenne. Là, dans la patrie des merveilleux vins de Bordeaux, le soleil sourit pour la première fois aux comédiens amaigris. La Guyenne était en principe gouvernée par Bernard de Nogaret, duc d'Épernon. Mais tout le monde savait que le véritable gouverneur de cette province était une dame du nom de Nanon de Lartigue, et la Guyenne n'avait pas à se louer du règne de cette dame.

Et il arriva à ce moment que, fatiguée par l'administration de la province, madame de Lartigue sombra dans la mélancolie. Le duc d'Épernon décida de distraire sa maîtresse en organisant pour elle une série de fêtes et de spectacles sur la Garonne. Le destin ne pouvait amener Molière à Bordeaux plus à propos ! Le duc reçut les comédiens à bras ouverts, et ceux-ci entendirent pour la première fois le doux son de l'or qui tinte dans les poches.

Molière et sa troupe jouèrent pour le duc et sa compagne la tragédie de Magnon *Josaphat*, et d'autres pièces. Selon certains renseignements, ils jouèrent en outre à Bordeaux une autre œuvre d'art, qu'il convient de noter expressément. On a dit qu'il s'agissait d'une tragédie composée par Molière lui-même au cours de ses pérégrinations, *La Thébaïde,* et on a dit aussi que cette tragédie était une œuvre d'une lourdeur remarquable.

Au printemps 1648, nos comédiens errants se trouvaient à un autre endroit, à Nantes exactement, ville où leur passage laissa des traces dans les documents officiels. Ceux-ci témoignent qu'un certain « Morlière » sollicita l'autorisation d'organiser des représentations théâtrales, autorisation qui lui fut accordée.

On sait aussi qu'à Nantes, Molière se heurta à la troupe de marionnettes du Vénitien Segale qui venait d'arriver dans la ville, et que la troupe de Molière eut raison de ces marionnettes-là. Segale dut céder la ville à Molière.

La troupe passa l'été et l'hiver 1648 dans des villes et localités des environs de Nantes, puis, au printemps 1649 se transporta à Limoges, où elle connut quelques déboires : monsieur Molière, qui jouait l'un de ses rôles tragiques, fut brutalement sifflé par les Limougeauds qui ne s'arrêtèrent pas là et lui jetèrent des pommes cuites, tant son jeu leur avait déplu.

Envoyant, comme il en avait l'habitude, Limoges et les Limougeauds à tous les diables, monsieur Molière emmena sa confrérie errante vers d'autres cieux. Ils s'arrêtèrent à Angoulême, à Agen et à Toulouse. Et en 1650, au mois de janvier, ils atteignirent Narbonne. Au printemps de cette année, monsieur Molière délaissa quelque temps sa troupe et se rendit en secret à Paris.

On sait de manière certaine qu'au cours de l'hiver 1650, Molière se transporta avec toute sa troupe dans la ville de Pézenas, où il laissa un souvenir sous la forme d'une quittance de quatre mille livres à lui délivrées pour ses comédiens par ordre de messieurs les membres des États, réunis à Pézenas pour discuter de graves questions fiscales. La quittance signifie évidemment que Molière avait donné des représentations pour les membres des États.

Au printemps 1651, Molière fit un nouveau séjour à Paris, qu'il mit à profit pour emprunter à son père mille neuf cent soixante-quinze livres en lui démontrant de manière convaincante que s'il n'avait pas cet argent, ce serait la corde pour lui, car il avait encore à payer ce qui restait des dettes de l' « Illustre-Théâtre ». Après avoir réglé ses créanciers parisiens, il recommença à itinérer avec sa troupe.

Ici prend place un événement capital : monsieur Molière s'était découvert des dispositions non plus seulement pour jouer dans des pièces, mais aussi pour en composer personnellement. Malgré l'harassant labeur journalier, Molière commença à occuper ses nuits à écrire des œuvres dans le goût dramaturgique. Il est quelque peu étonnant qu'un homme qui s'était voué à l'étude de la tragédie et qui se répertoriait dans les emplois tragiques se soit, après la malencontreuse *Thébaïde*, complètement détourné de la tragédie pour se mettre à écrire des farces en un acte, joyeuses et insouciantes, dans lesquelles il imitait les Italiens — qui étaient les grands maîtres en cette matière. Ces farces plurent beaucoup aux compagnons de Molière et furent introduites dans le répertoire. Dans ces farces, celui qui se taillait le plus grand succès auprès du public était Molière lui-même, qui jouait les rôles comiques et principalement Sganarelle.

La question se pose : où Molière avait-il appris à faire aussi bien passer le comique sur la scène ? La réponse est manifestement la suivante : à l'époque où se créait l'infortuné « Illustre-Théâtre », ou un peu auparavant, était arrivé à Paris, parmi d'autres acteurs italiens, le célèbre et talentueux interprète de l'éternel masque italien de Scaramuccia ou Scaramouche, Tiberio Fiorelli. De noir vêtu de la tête aux pieds, à la seule exception d'une fraise gauffrée qu'il portait autour du cou, « noir comme la nuit », selon les mots de Molière, Scaramouche avait fasciné Paris par ses tours de virtuose et l'aisance éblouissante avec laquelle il faisait passer la rampe au texte comique et léger des farces italiennes.

Le comédien débutant Jean-Baptiste Poquelin s'était présenté à Scaramouche et l'avait prié de lui donner des leçons d'art scénique. Et Scaramouche avait accepté. C'est certainement au contact de celui-ci que Molière reçut le baptême de la comédie, et c'est encore le même qui développa en lui le goût de la farce.

Ainsi, le chef de la troupe vagabonde jouait les rôles tragiques dans les tragédies des autres, et les comiques dans ses farces. Et là se découvrit une particularité qui marqua notre héros jusqu'au fond de son être : dans les rôles tragiques, il n'obtenait au mieux qu'un succès moyen, et au pire — le four complet ; il faut malheureusement préciser que ce dernier cas n'était pas rare. Limoges n'était, hélas ! pas la seule ville où les pommes pleuvaient sur le pauvre tragédien qui évoluait sur la scène, le front ceint de la couronne de quelque sublime héros tragique !

Mais il suffisait que l'on donne une farce immédiatement après la tragédie et que Molière change de costume pour se transformer de César en Sganarelle, et à l'instant l'affaire changeait du tout au tout : le public se mettait à rire, le public applaudissait, cela se terminait en ovations et les citadins apportaient leur argent aux représentations suivantes.

Après le spectacle, tandis qu'il se démaquillait ou enlevait son masque, Molière disait en bégayant dans la loge :

— Qu'est-ce que ce public de rustres, qu'il soit trois fois maudit !... Je ne comprends pas... Est-ce que les pièces de Corneille seraient mauvaises ?

— Mais non, répondait-on au directeur en proie au doute, les pièces de Corneille sont bonnes...

— Si encore c'était des hommes du peuple, je comprendrais... Il leur faut de la farce. Mais des nobles !... Il y a tout de même des gens instruits chez eux. Je ne comprends pas comment on peut rire à ce galimatias ! Moi, ça ne me ferait même pas sourire !

— Eh, monsieur Molière ! lui répondaient ses camarades. L'homme a soif de rire, et un courtisan est aussi facile à mettre en joie qu'un homme du peuple.

— Ah, ils veulent de la farce ? s'écriait l'ancien Poquelin. Très bien, on leur en donnera, de la farce.

Et c'était toujours la même histoire : le fiasco pour la tragédie, le succès pour la farce.

Mais comment expliquer cela ? Pourquoi le tragédien faisait-il un four dans le tragique, et un succès dans le comique ? Il ne peut y avoir qu'une seule explication, très simple au demeurant. Le monde n'était pas aveugle, comme le croyait Molière, qui, lui, se considérait comme voyant ; c'était précisément l'inverse : le monde voyait admirablement, et l'aveugle était monsieur Molière. Et ce, aussi étrange que cela paraisse, depuis très longtemps. Il était le seul de tout son entourage à ne pas comprendre la chance qu'il avait eue de tomber sur Scaramuccia car il était

77

naturellement un acteur comique de génie, alors qu'il ne pouvait être un tragédien. Rien n'y faisait, que ce soient les tendres remarques de Madeleine ou les allusions détournées de ses camarades : le capitaine de la troupe s'entêtait à jouer les rôles qui n'étaient pas les siens.

Voilà quelle était une des causes du tragique effondrement de l' « Illustre-Théâtre » ! Elle se trouvait en Molière lui-même, et non chez le prédicateur de Saint-Sulpice. Et le bégaiement, si souvent relevé par ceux qui se sont intéressés à Molière, n'était pas le seul coupable : des exercices assidus auraient pu corriger presque complètement chez un comédien passionné ce défaut d'élocution, exactement comme pour une respiration mal placée. Non, la véritable raison était l'absence totale d'étoffe tragique.

Mais continuons à suivre la caravane. Dans le sud de la France, courait, de village en village, de ville en ville, le bruit qu'il y avait un gamin du nom de Molière qui jouait remarquablement avec sa troupe les pièces comiques. La seule chose inexacte dans ce bruit était que Molière n'était pas un gamin. Au moment où on commença à parler de lui, il avait trente ans passés.

Et c'est un homme de trente ans, lourd d'expérience amère, un acteur et dramaturge suffisamment trempé, investi de la confiance de sa troupe, qui, vers la fin de 1652, arriva en vue de la ville de Lyon, transportant dans sa charrette, outre quelques farces, une grande comédie intitulée *L'Étourdi, ou les Contretemps*.

La caravane roulait allégrement vers Lyon. Les acteurs avaient repris du poil de la bête. Ils portaient maintenant des habits de belle qualité et leurs attelages étaient bourrés de matériel de théâtre et de tout leur saint-frusquin personnel. Les acteurs ne tremblaient plus à la pensée de l'inconnu qui les attendait dans cette cité. Ils connaissaient bien l'efficacité des farces de Molière, et *L'Étourdi* leur avait énormément plu. Ils ne furent pas effrayés quand l'immense ville se déroula devant eux dans le brouillard de l'hiver.

Dans l'une des voitures se trouvait, couvée par la sollicitude vigilante de Madeleine, une créature nouvelle qui s'était jointe au convoi à proximité de la ville de Nîmes. Cette créature n'était âgée que de dix ans et avait l'aspect d'une fillette plutôt laide, mais extrêmement vive, intelligente et coquette.

Madeleine avait ainsi expliqué aux acteurs l'apparition soudaine de la fillette : il s'agissait de sa petite sœur, qui avait été élevée par une dame amie dans une propriété près de Nîmes, et le moment était maintenant venu de la prendre avec elle ; monsieur Molière l'aimait beaucoup lui aussi, était décidé à faire son instruction, elle serait actrice, elle jouerait sous le nom de Menou.

Les acteurs s'étonnèrent un peu de voir leur adorable camarade Madeleine soudainement flanquée d'une petite sœur tombée du ciel, jasèrent quelque temps sur le fait que la petite sœur ait été, pour une raison indéterminée, élevée en province et non à Paris, puis s'habituèrent très vite à la fillette, et Menou entra dans la famille des comédiens.

Les acteurs ne s'étaient pas trompés sur *L'Étourdi*. La pièce fut jouée en janvier 1653 et remporta chez les Lyonnais non pas un succès, mais un triomphe. C'est là, devant la salle lyonnaise de jeu de paume, qu'il aurait fallu placer le chef-d'œuvre du confiant Louis Aubry ! Dans l'inexpérience de sa jeunesse, monsieur Molière s'était un peu trop pressé en pavant le ruisseau de Nesle.

Après la première, un véritable flot humain se rua vers la caisse. Un jour on vit deux gentilshommes se quereller violemment dans la cohue et se battre en duel. Bref, l'affluence était telle chez Molière qu'une troupe ambulante qui se trouvait alors dans la ville, la troupe d'un certain Mitallat, comprit qu'elle n'était pas de taille et qu'il ne lui restait plus qu'à amener son pavillon.

En maudissant furieusement ce gamin de Molière, Mitallat congédia ses comédiens ; les meilleurs d'entre eux allèrent chez Molière et lui demandèrent de les prendre dans sa troupe.

C'est vraiment un beau cadeau que monsieur Molière reçut de ce monsieur Mitallat qu'il avait littéralement étranglé avec son *Étourdi* : le directeur vainqueur vit venir à lui madame Catherine le Clerc du Rozet — madame de Brie de son nom de femme mariée — et l'engagea sur-le-champ pour tenir les emplois d'amantes. Sur-le-champ, parce qu'il était bien connu que madame de Brie était une merveilleuse actrice. Madame de Brie recommanda son mari, monsieur de Brie, qui jouait les rôles de bretteurs, et celui-ci entra avec sa femme dans la troupe de Molière, bien qu'il ne fût pas un acteur de première force. Mais, pour avoir Catherine de Brie, on pouvait bien engager le mari.

Catherine fut suivie par une toute jeune personne, mais qui avait déjà fait parler d'elle dans tous les endroits où elle s'était produite : madame de Gorla, qui portait le double prénom de Thérèse-Marquise, était la fille d'un comédien de foire, se produisait sur les tréteaux depuis son enfance et s'était imposée dans son adolescence comme une actrice tragique de premier plan et une incomparable danseuse.

Thérèse produisit sur la troupe de Molière une impression considérable : sa beauté et ses danses éblouirent les acteurs. Le succès que Thérèse rencontrait auprès des hommes était vertigineux.

L'apparition de de Brie et de Gorla porta un dur coup à Madeleine. Jusqu'alors, elle n'avait eu aucune rivale dans la troupe. À Lyon, elle s'en découvrait deux d'un coup, toutes deux extrêmement dangereuses. Madeleine comprit qu'elle devrait leur laisser les premiers rôles. Et c'est ce qui arriva. Après l'entrée en scène des nouvelles étoiles lyonnaises, Madeleine fut reléguée dans les emplois de soubrette, les amoureuses furent jouées par de Brie, et, dans les tragédies, les premiers rôles féminins échurent à Thérèse-Marquise.

L'autre blessure de Madeleine ne fut pas moins profonde. Jean-Baptiste fut le premier de ceux qui succombèrent à la beauté de Thérèse-Marquise. La passion s'empara de lui, il voulut que celle-ci soit payée de retour. Et devant les yeux de Madeleine qui avait supporté toutes les épreuves de la vie nomade, commença à se jouer le grand roman moliéresque. Il se termina mal. La grande danseuse-actrice repoussa Molière et fit un choix qui stupéfia tout le monde en épousant le gros Du Parc. Mais Molière ne revint plus jamais à Madeleine. Immédiatement après le roman avec Thérèse se joua un autre roman, avec madame de Brie cette fois, et celui-ci fut heureux. La tendre et douce de Brie, vivant contraire de la hautaine et perfide Thérèse-Marquise, demeura longtemps la secrète amie de Molière.

Quand les premières passions se furent calmées, quand toutes les cartes eurent été redistribuées, quand l'amertume des premières scènes nocturnes entre

Molière et Madeleine offensée fut oubliée, la troupe enrichie de quelques éléments recommença à jouer à Lyon et dans ses environs. *L'Étourdi* était un triomphe et il convient de remarquer, parmi les autres pièces jouées, l'*Andromède* de Corneille, où la fillette Menou fit ses premiers pas sur la scène dans le minuscule rôle d'Éphyre — rôle dont la fillette se tira fort bien en récitant ses quelques lignes de texte.

9. *Le prince Conti entre*
en scène

Pendant que notre troupe ambulante voguait paisiblement de ville en ville, de nombreux événements s'étaient produits en France. Le tout-puissant cardinal de Richelieu n'était plus là, pas plus que le faible roi Louis XIII. Richelieu s'était éteint peu après la mort du chevalier Cinq-Mars, à la fin de l'année 1642, et en mai 1643 le roi Louis XIII avait quitté ce monde en prononçant la phrase suivante : « Lourde à mon cœur est ma vie. »

La France avait un nouveau roi, mais ce roi n'était encore âgé que de quelques années.

Le roi Louis XIV naquit en octobre 1638. Le tonnerre des canons à Paris et les feux enfumés des lampions annoncèrent à l'univers la venue sur la terre d'un nouveau Louis. À la mort de Louis XIII, la mère du très jeune roi, Anne d'Autriche, se retrouva à la tête du pays. Mais elle ne fut régente que sur le papier et le véritable régent fut, comme cela s'était déjà produit avec le cardinal de Richelieu, un autre cardinal, premier ministre de la France et Sicilien d'origine, Giulio Mazzarini, ou Jules Mazarin.

Ici, l'histoire semble se répéter. La haute aristocratie française, dont les représentants s'étaient naguère

83

insurgés contre Richelieu, s'insurgeaient maintenant contre le nouveau ministre. L'opposition reçut le nom de Fronde. Les troubles antigouvernementaux durèrent près de cinq ans.

Le prince de Condé — le Grand Condé — illustre capitaine alors couvert de lauriers, joua un rôle de premier plan à la tête de la Fronde et passa plus d'une fois dans le camp du gouvernement quand ses intérêts personnels le commandaient.

Au bout de ces cinq années de lutte, Mazarin remporta la victoire. La cause de Condé était perdue : il quitta la France et passa du côté des Espagnols, tandis que le cardinal entrait triomphalement à Paris.

Il faut remarquer que malgré son jeune âge, Louis avait très bien compris ce qui s'était passé : toute sa vie, il conserva dans son esprit le souvenir très net de la manière dont l'aristocratie française avait failli le priver de son trône. Il convient d'ajouter, pour ce qui est de l'histoire de Condé, que celui-ci se réconcilia au bout de quelques années avec Mazarin et fut amnistié.

Ce prince de Conti, frère de Condé, que nous avons connu enfant en train d'étudier au collège de Clermont, était au moment de la Fronde un jeune homme qui se préparait à une carrière ecclésiastique. Mais au lieu de renoncer à tout ce qui est de ce monde, Conti se préparait à la plus haute des carrières en se signalant par son déséquilibre et son impétuosité et marchait sur les traces de son illustre frère. Il prit part à la Fronde, et ne se contenta d'ailleurs pas de participer à des combats sanglants, mais fut aussi emprisonné.

Vers la fin de l'été 1653, Conti vint trouver le calme dans son château de La Grange qui se trouvait dans le bienheureux Languedoc, près de la ville de Pézenas, et eut même l'occasion d'exercer pour un temps la charge de gouverneur du Languedoc.

Pendant que notre prince se reposait dans son château, nos comédiens, que n'avait pas touchés le vent de Fronde qui soufflait sur le pays, quittaient Lyon et pénétraient dans ce Languedoc, et le destin jugea bon de réunir deux anciens de Clermont.

Le château de Conti avait alors pour hôte une certaine madame de Calvimont, dame délicieuse dont le caractère n'était, de l'avis général, gâté que par une exceptionnelle bêtise. En déambulant dans les parcs somptueux à peine touchés par le jaune de l'automne, madame de Calvimont se plaignit de manière touchante auprès du prince de l'absence de distractions au château. En réponse, le prince lui dit ce que l'on dit dans ces cas-là — que les désirs d'une dame étaient pour lui des ordres — et fit venir son plus proche subordonné, le très sympathique et très cultivé monsieur de Cosnac.

Daniel de Cosnac connaissait la présence de Molière dans le Languedoc et le succès qu'il y remportait. Il dépêcha sans retard un courrier avec pour mission de trouver le directeur de la troupe et de lui remettre une invitation de Son Altesse à venir séjourner au château de La Grange avec sa troupe.

Est-il besoin de dire que l'ancien élève de Clermont, l'actuel comédien ne se fit pas prier longtemps? Il arrêta immédiatement les représentations, embarqua sur les chariots la troupe au grand complet, avec décors et accessoires, et la caravane prit le chemin de la résidence princière.

Mais à ce moment arrivait au château une autre troupe ambulante que personne n'avait invitée. Elle était conduite par un charlatan confirmé, acteur et arracheur de dents, qui, comme tant d'autres, s'était jadis produit au Pont-Neuf. Cet homme s'appelait monsieur Cormier.

Quand on annonça au prince qu'une troupe se présentait à l'entrée du château, il fut très agréablement surpris de voir que le souhait de madame de Calvimont pouvait être exaucé avec une aussi féerique rapidité. Et sans plus attendre aucun Molière, il donna l'ordre d'inviter la troupe.

La troupe s'installa dans le château et Cormier qui, en homme d'expérience, avait compris du premier coup que toute sa prospérité dépendait de la manière dont il saurait plaire à madame de Calvimont, se coucha sous ses pas et lui fit même quelques cadeaux.

Mais Cormier avait à peine commencé à donner ses représentations et à faire ripaille qu'on informa Daniel de Cosnac que le Molière qu'il avait invité était arrivé avec sa caravane. Cosnac alla voir le prince et rapporta que le directeur invité par Son Altesse était là avec sa troupe et demanda à Son Altesse de bien vouloir lui faire connaître sa volonté.

Après un instant de réflexion, le prince dit que monsieur Molière pouvait se considérer comme libre, puisque le besoin de ses services théâtraux ne se faisait plus sentir.

— Mais, votre Altesse, répondit Cosnac en blêmissant, je l'avais invité...

— Et moi, comme vous pouvez le voir, répondit le prince, j'ai invité Cormier. Et vous conviendrez qu'il vous est plus facile de trahir votre parole que moi, la mienne.

À pas très lents, Cosnac partit s'expliquer avec le Molière qui venait d'arriver.

À l'entrée du château, couvert de poussière, se tenait un homme aux lèvres gonflées et aux yeux fatigués. Ses bottes fortes de voyage étaient blanches.

L'homme ôta son chapeau et dit d'une voix un peu sourde :

— Je suis Molière, et nous sommes venus conformément aux instructions de Son Altesse.

Cosnac prit une profonde inspiration et, remuant avec peine une langue de bois, prononça les mots suivants :

— Le prince... m'a chargé... de faire savoir à monsieur Molière... qu'un très regrettable malentendu... Une autre troupe joue déjà au château... Le prince vous prie de vous considérer... il me prie de vous dire que vous êtes libres.

Un silence s'instaura.

L'étranger fit un pas en arrière, sans détacher son regard de Cosnac, et se recouvrit. Cosnac leva les yeux et vit que l'étranger était blême. Le silence se prolongeait.

Enfin l'homme dit en louchant vers son nez :

— On m'avait pourtant invité... Je... (l'étranger montrait les attelages) j'ai interrompu les représentations, j'ai chargé les décors, j'ai avec moi des femmes, des actrices.

Cosnac se taisait toujours.

— Je vous demanderai, dit l'étranger en commençant à bégayer, de me payer mille écus. J'ai perdu beaucoup d'argent en arrêtant les représentations et en conduisant ma troupe ici.

Cosnac essuya son front en sueur et pria humblement l'étranger de s'asseoir sur un banc et de l'attendre pendant qu'il ferait part au prince de ses paroles.

L'étranger recula, s'assit sur un banc et fixa le sol. Cosnac se rendit dans les appartements du prince.

— Il demande mille écus de dédommagement pour ses frais, dit Cosnac.

— Ridicule ! dit le prince. Il n'aura rien. Et je vous prierai de ne plus me parler de cette affaire qui m'ennuie maintenant.

Cosnac sortit, alla dans son logement, prit mille écus sur son propre argent et les apporta à Molière. Celui-ci remercia et fit couler les pièces dans une bourse de cuir. Cosnac dit alors qu'il regrettait énormément que tout se soit si mal passé... Et soudain il proposa avec chaleur à monsieur Molière de s'arrêter à côté, dans la ville de Pézenas, et de jouer là. Lui, Cosnac, s'occuperait de tout, trouverait la salle et les autorisations...

Monsieur Molière réfléchit un instant, et acquiesça. Cosnac partit pour Pézenas avec la caravane, obtint au nom du prince le local et l'autorisation de jouer, et la troupe donna à Pézenas un *Étourdi* qui stupéfia les Piscénois.

La rumeur d'un tel événement, qui ne s'était encore jamais vu à Pézenas, parvint rapidement aux oreilles du gouverneur. Et le prince fit aussitôt savoir qu'il désirait voir chez lui ces comédiens d'exception. Les comédiens se doivent d'oublier rapidement les offenses, et l'ancien élève de Clermont emmena immédiatement sa troupe au château. *L'Étourdi* fut joué en présence du prince, de sa suite et de madame de Calvimont, au désespoir du pauvre Cormier. Après cela, il ne pouvait être question pour lui de résister. Ses comédiens mal habillés et peu inspirés ne pouvaient rêver un seul instant de se mesurer aux somptueux costumes qu'arboraient grâce aux recettes lyonnaises les Du Parc, de Brie, Madeleine et naturellement Molière lui-même.

Mais il aurait très bien pu se faire que Molière ait malgré tout été contraint de laisser Cormier maître de la place : tout le monde appréciait la beauté du spectacle — tout le monde, sauf madame de Calvimont. Par bonheur, le secrétaire du prince, le poète Sarasin, homme intelligent et cultivé, sauva la situation. Il manifesta un tel enthousiasme devant le jeu des acteurs et leurs costumes, sut si bien persuader au prince que la troupe de Molière serait l'ornement de sa cour, que le capricieux Conti ordonna que l'on congédie la troupe du malheureux Cormier et que celle de Molière soit attachée à demeure au service du prince, avec le droit à l'appellation de « Troupe de la Cour du prince Armand Bourbon de Conti », droit qui impliquait naturellement l'attribution d'une pension régulière. Il faut ajouter que l'attitude de Sarasin s'expliquait en partie par le fait qu'il était dès le premier jour tombé amoureux de Thérèse-Marquise.

Le pauvre Cormier se retira avec sa troupe en maudissant Molière, tandis que ce dernier et ses comédiens commençaient à couler des jours heureux en Languedoc.

Le subtil bègue dut jeter un charme au prince. Les représentations se succédaient sans discontinuer et les bienfaits de toutes sortes se déversaient en un flot ininterrompu sur Molière et ses comédiens. S'il fallait se déplacer à travers le Languedoc, le prince n'hésitait pas à réquisitionner des attelages pour le transport des accessoires et des comédiens eux-mêmes ; le prince donnait de l'argent ; le prince patronait tout.

En novembre 1653, le prince partit pour Paris, via Lyon, afin d'épouser Maria Anna Martinozzi, nièce de Mazarin. La troupe de la cour accompagna le prince jusqu'à Lyon, où elle s'arrêta pour donner des représentations tandis que le prince poursuivait sa route vers Paris. Il épousa la Martinozzi et revint dans ses terres du Languedoc au début de 1654.

En décembre de cette année, les États tinrent leur réunion habituelle dans la ville de Montpellier. La noblesse et le clergé vinrent, comme à l'accoutumée, examiner les questions financières avec les représentants du pouvoir central et discuter avec ceux-ci, en défendant dans la mesure du possible les intérêts de leur province. Les députés, qui recevaient pour la durée des États un généreux défraiement, appréciaient beaucoup cette époque et, d'une manière générale, la ville qui recevait les États entrait en ébullition. Tout naturellement, Molière et ses compagnons firent leur apparition à Montpellier et commencèrent à jouer pour les honorables gentilshommes.

Un seul homme de la suite du prince ne put admirer les prestigieux députés, pas plus que les représentations de monsieur Molière. Cet homme était le secrétaire du prince, monsieur Sarasin. En décembre 1654, il mourait de fièvre hectique. À la suite de ce décès, le prince fit à Molière une offre surprenante : il lui proposait de remplacer le défunt Sarasin au poste de secrétaire. Molière eut beaucoup de mal à décliner poliment cette offre flatteuse : il fit valoir qu'il était organiquement incapable d'être secrétaire. Cette explication fut bien accueillie et la troupe put donner ses représentations à Montpellier.

Molière, qui avait bien étudié son prince, écrivit avec Joseph Béjart le livret d'un joyeux divertissement-ballet qui fut monté en décembre pour le prince et la princesse : le grand triomphateur de cette affaire fut son promoteur, monsieur Molière, qui jouait devant l'assistance écroulée de rire une marchande de harengs.

Quant à Joseph Béjart, outre la part de succès que lui rapportèrent les couplets qu'il avait composés, il fut encore heureux en une autre affaire. Le minutieux et attentif Joseph, qui se sentait des dispositions pour les recherches historiques, rédigea un recueil détaillé à caractère héraldique où l'on trouvait toutes sortes de renseignements généalogiques ainsi que les descriptions des blasons et armoiries des barons et prélats des États languedociens réunis en cette année 1654.

Naturellement, Béjart dédia ce recueil au prince et reçut des estimables députés une somme confortable pour la peine qu'il avait prise à le composer, somme il est vrai assortie d'une allusion au fait qu'il serait souhaitable que Béjart ne compile à l'avenir de tels recueils que dans les cas où on les lui commanderait.

Quand les États prirent fin à Montpellier, Molière et sa troupe se transportèrent à Lyon, et là un homme étonnant fit son apparition parmi les comédiens. Il s'appelait Charles Couppeau d'Assoucy, et avait dépassé la cinquantaine. D'Assoucy parcourait la France un luth à la main, accompagné par deux enfants, chantait avec eux des couplets et des chansons de sa composition et s'intitulait lui-même « Empereur du Burlesque, premier du nom. » D'Assoucy, poète et musicien ambulant, laissait dans les tripots et maisons de jeu tout l'argent qu'il gagnait.

En cet été 1655, la chance lui avait été particulièrement défavorable : des pipeurs l'avaient dépouillé jusqu'au dernier sou, ne lui laissant que son luth et les enfants. Bloqué à Lyon, d'Assoucy se présenta à Molière pour lui faire part de la joie qu'il éprouvait à rencontrer des artistes et pour leur rendre une brève et courtoise visite. Cette visite dura près de vingt mois.

Ce qui nous intéresse, c'est que d'Assoucy fut un témoin enthousiaste de la nouvelle prospérité de la confrérie de Molière. Pendant les deux années passées sous la protection du prince de Conti, les acteurs avaient gagné beaucoup de bel argent, leurs parts avaient augmenté et leurs mémoires avaient perdu le souvenir des nuits froides dans les granges et des courbettes devant les autorités locales. Molière habitait avec ses camarades et amies de beaux appartements lyonnais; ils s'étaient constitués des caves, étaient richement habillés, avaient appris à avoir confiance en eux et faisaient preuve d'un optimisme à toute épreuve.

L' « Empereur du Burlesque » leur plut, et ils l'acceptèrent comme un des leurs. En échange, celui-ci chanta leur gloire en lignes de vers et de prose de la meilleure facture.

— On dit, racontait à qui voulait l'entendre d'Assoucy, qu'au bout d'un mois le meilleur des hommes se fatiguera de nourrir son propre frère. Mais ceux-là, je vous l'assure, sont bien plus généreux que tous les frères de la terre !

Et d'Assoucy chantait des vers où *compagnie* rimait avec *harmonie* et dans lesquels il racontait avec émotion comment lui, pauvre gueux, mangeait à la table des frères où l'on servait chaque jour au dîner des sept ou huit plats. Le meilleur moment de ces repas venait d'ailleurs après le huitième et dernier plat, quand l'inépuisable « Empereur » versait généreusement le vin dans les verres et entonnait en duo avec Molière des refrains joyeux ou racontait des anecdotes. Oui, c'était vraiment le bon temps, à Lyon !

Naturellement, quand les comédiens partirent pour Avignon à l'automne de cette même année 1655, d'Assoucy les accompagna. La confrérie descendit le Rhône en bateau à la lumière des étoiles, tandis que d'Assoucy, assis à l'arrière, faisait jusqu'à une heure avancée de la nuit sonner les cordes de son luth.

Les comédiens restèrent un mois à Avignon, puis furent rappelés par le prince dans la ville de Pézenas où se tenaient à nouveau les États.

Le 9 novembre, les députés furent les témoins d'un événement peu ordinaire. Son Altesse le prince de Conti avait élu domicile dans la maison d'un certain monsieur d'Alphonse. Revêtus de tous leurs ornements sacerdotaux, les évêques des villes voisines auxquels s'étaient joints les barons de Villeneuve et de Lantat qui représentaient la noblesse, arrivèrent en grande pompe chez d'Alphonse pour présenter leurs compliments à Son Altesse.

Le prince alla au-devant des députés et les reçut entre deux portes, en s'excusant de ne pouvoir les admettre plus avant du fait de l'épouvantable désordre qu'avait provoqué dans les pièces de l'appartement monsieur de Molière et ses comédiens à l'occasion de leurs représentations.

Il est difficile de décrire les mines des députés — et en particulier celles des évêques. Mais il va de soi que personne ne fit devant le prince la moindre allusion au désordre des pièces, et après avoir adressé à Son Altesse les compliments commandés par l'occasion, la députation s'en fut dans un silence de mort.

La troupe se produisit quelques mois à Pézenas, et Molière illustra son séjour dans la ville par six mille livres versées à la troupe par la caisse des États du Languedoc.

Il marqua aussi son passage à Pézenas par quelques actions bizarres. Ainsi, il se lia d'amitié avec le meilleur barbier local, l'honorable maître Gély.

L'établissement du maître jouissait d'une grande popularité. Le samedi surtout : la porte claquait sans arrêt au passage des bouchers, boulangers, fonctionnaires en poste à Pézenas et personnages de tout genre. Pendant que les assistants de monsieur Gély arrachaient les dents des clients et leur rasaient le menton, les Piscénois qui faisaient la queue attendaient leur tour en prisant et bavardant. De temps en temps, une jeune fille faisait son entrée dans la boutique et annonçait, rougissante, qu'elle avait reçu une lettre de son amoureux sous les drapeaux. Tout le monde prenait alors sa part de l'événement et aidait l'ignorante jeune fille à déchiffrer la lettre, avec des bruits de satisfaction si les nouvelles étaient bonnes et de compassion s'il y avait des choses attristantes. L'établissement de maître Gély était une sorte de club.

Molière était donc arrivé à se faire inviter tous les samedis chez maître Gély pour l'aider à s'occuper de la recette. L'accueillant barbier offrit au directeur de théâtre un fauteuil de bois à la caisse, et c'est là que Molière comptabilisait les pièces d'argent. Mais sous le sceau du secret, maître Gély racontait à qui voulait l'entendre que la caisse n'était pour le directeur de la troupe de Conti qu'un prétexte pour se livrer à de toutes autres activités, que le directeur avait toujours, dissimulés sous ses basques, des petits bouts de papier blanc sur lesquels il notait subrepticement tout ce qui se disait d'intéressant dans la boutique. Mais maître Gély était incapable de dire à quoi rimait ce manège.

De toute façon, le fauteuil de bois finit par échouer dans un musée.

Tout en ayant son port d'attache à Pézenas, la troupe visitait de temps en temps d'autres localités. Au printemps 1656, elle prit la route de Narbonne, où le joyeux troubadour d'Assoucy finit par la quitter. Puis les comédiens rejoignirent leur base permanente de Lyon pour de là repartir vers Béziers afin de mettre en joie la session des États qui s'y tenait traditionnellement.

À Béziers, Molière donna la première de sa nouvelle pièce, qu'il avait appelée *Le Dépit amoureux*. C'était une œuvre en cinq actes écrite sous l'influence évidente des auteurs espagnols et italiens, plus accomplie que *L'Étourdi*, mais qui contenait par endroits des vers assez lourds, et qui s'achevait sur un dénouement très embrouillé et manquant tout à fait de naturel. Mais comme les passages faibles étaient noyés dans la masse des scènes subtiles et piquantes, les comédiens escomptaient un grand succès, et leur espoir fut confirmé.

Dès son arrivée à Béziers, le directeur du théâtre commença par envoyer des billets gratuits pour la première à tous les députés des États — qui lui répliquèrent par une gifle sanglante : les mesquins députés lui renvoyèrent tous les billets. On comprend très bien les raisons de cet acte : les députés savaient que la troupe ne tarderait pas à faire appel à leurs subsides financiers, et ils avaient décidé de mettre un terme à cela. Le directeur sentit qu'il ne fallait plus compter recevoir quelques milliers de livres sur la caisse des États, envoya mentalement au diable les députés et donna la représentation pour le public ordinaire. Et le public couvrit d'applaudissements *Le Dépit amoureux,* où Molière jouait le rôle d'Albert, père de Lucile et d'Ascagne.

Abandonnant l'inhospitalière ville de Béziers, Molière visita à nouveau Lyon, où *Le Dépit* fut brillamment joué, puis Nîmes, Orange, Avignon.

À Avignon, en 1657, deux rencontres eurent lieu. Le directeur rencontra son vieil ami de Clermont, Chapelle. Les anciens auditeurs de Gassendi s'étreignirent tendrement. Ils évoquèrent l'épicurien et parlèrent de sa fin terrible : les maudits docteurs avaient tué le philosophe à force de saignées.

La deuxième rencontre joua un rôle immense dans la suite de la vie de Molière. Le célèbre peintre Pierre Mignard, qui revenait d'Italie, s'était attardé quelque temps à Avignon. Sitôt qu'ils eurent fait connaissance, Mignard et Molière s'entendirent très bien, se plurent mutuellement et l'illustre portraitiste prit plusieurs fois Molière pour modèle.

L'été 1657 fut exceptionnellement chaud, et la troupe se rendit pour quelque temps dans le Nord, à Dijon, et regagna Lyon l'hiver venu. Et c'est à Lyon que se revirent à nouveau deux vieux élèves de Clermont — le prince de Conti et Molière, qui ne s'étaient pas rencontrés depuis un temps assez long.

Le directeur de la troupe se présenta joyeusement chez le prince, mais sa visite se solda par un fiasco : non seulement le prince ne voulut pas voir le directeur et ses comédiens, mais alla de plus jusqu'à ordonner que le nom de Conti fût retiré de l'intitulé de la troupe. La vie des comédiens n'est pas faite que de roses et de lauriers ! Le directeur humilié attendit des explications, qui ne tardèrent pas à venir. Apparemment, l'âme de Son Altesse avait subi au cours des deux dernières années un bouleversement total. L'ancien frondeur, reconverti par la suite en amoureux passionné du théâtre, était maintenant confit en dévotion et bouffi dans l'instruction des questions religieuses et morales.

Un évêque, qui était passé maître dans l'art de la parole, s'était sérieusement inquiété de l'inclination du prince pour le théâtre et avait réussi à le persuader que l'homme, quelque élevée que soit sa position dans le monde, doit cependant avant tout songer au salut de son âme. Et pour seulement pouvoir y penser, il faut commencer par fuir comme le feu les spectacles des comédiens, si l'on ne veut pas tomber dans le brasier éternel. Les graines que l'évêque avait semées dans l'âme de Conti donnèrent des pousses luxuriantes. Conti avait parfaitement assimilé les enseignements épiscopaux et déclarait à ses familiers que la seule vue des comédiens lui faisait maintenant peur.

— Inconstants sont les puissants de ce monde, disait Molière à Madeleine, et je donnerais bien un conseil à tous les comédiens : si tu tombes en grâce, prends immédiatement tout ce que tu peux prendre. Ne perds pas de temps, bats le fer tant qu'il est chaud. Et pars de toi-même, n'attends pas qu'on te foute à la porte !... Mais après tout, Madeleine, nous devons penser à des choses plus importantes. Je sens qu'il est temps pour nous de quitter le Languedoc. Il faut...

Et à nouveau, comme il y a bien longtemps à Paris, après la faillite de l' « Illustre-Théâtre », les ex-amants se mirent à chuchoter.

10. *Attention, la Bourgogne !*
Molière arrive !

L'hiver 1657 fut pour la troupe une période d'excita-
tion générale, de mystérieux chuchotements entre les
acteurs, d'incessantes conférences secrètes entre
Molière et Madeleine, qui était décidément le génie
financier de la troupe. Vers cette époque, Madeleine
entra plus d'une fois en pourparlers avec des hommes
d'affaires liés aux milieux parisiens, mais personne ne
savait encore dans la troupe ce qui se préparait au
juste.

Au début de l'année suivante — 1658, la troupe alla
à Grenoble où elle joua au moment du carnaval, puis
fit un dernier séjour à Lyon, et tout d'un coup Molière
traversa la France de part en part et amena sans coup
férir la troupe à Rouen. Il passa avec sa caravane à peu
de distance de Paris, mais ne tourna pas la tête vers la
capitale. Et s'arriva dans cette ville de Rouen où,
quinze ans auparavant, il était venu avec la bande
inexpérimentée des « Enfants de la Famille » jouer à
la foire.

Maintenant, les choses étaient toutes différentes. Il y
avait un acteur de trente-sept ans, bourré d'expérience, comique de premier ordre, entouré d'excellents
acteurs. Parmi les femmes, la troupe comptait de

véritables étoiles : Madeleine Béjart, de Brie et Thérèse Du Parc. La pauvre troupe qui, à Nantes, était péniblement venue à bout des malheureuses poupées du Vénitien, marchait maintenant à travers la France, terrassant d'un glaive meurtrier les troupes ambulantes qu'elle rencontrait. Ils avaient laissé derrière eux, dans le Sud, Mitallat et Cormier et, au Nord, la venue de Molière était attendue dans le tremblement par le directeur de la troupe qui jouait alors à Rouen, Philibert Gassot, sieur du Croisy.

Le bruit de l'arrivée de Molière se répandit comme une traînée de poudre. Molière entra dans Rouen, prit la salle des « Deux-Maures » et commença de jouer. C'est ici que se produisit la rencontre de Molière avec le plus grand de tous les dramaturges français, Pierre Corneille, dont les pièces étaient depuis longtemps au répertoire de la troupe. Corneille trouva la troupe splendide ! Inutile de préciser qu'il était tombé amoureux de Thérèse Du Parc.

La troupe de Philibert du Croisy subit le même sort que celle de Mitallat. Le sieur du Croisy, qui était un homme très sympathique et un acteur de premier plan, au registre d'interprétations très étendu, eut une conduite très sensée : il se présenta à Molière qui l'engagea immédiatement dans sa troupe.

En jouant dans la salle mauresque et en donnant de temps en temps des représentations au profit de l'orphelinat de Rouen, Molière acheva la conquête de la ville. Mais, en même temps, sans rien dire à personne de la troupe, à l'exception naturellement de Madeleine, il fit secrètement, au cours de l'année, trois voyages à Paris. Au retour du dernier, Molière révéla enfin son plan à la troupe : il avait réussi à pénétrer, grâce à des recommandations flatteuses, dans les milieux de la cour et avait obtenu d'être présenté à Son Altesse Philippe d'Orléans, Frère Unique du roi régnant Louis XIV.

Les acteurs écoutaient leur directeur dans un silence total.

Molière dit encore une chose. Il dit que le Frère Unique du roi, qui avait beaucoup entendu parler de leur troupe, voulait la prendre sous sa protection et qu'il était très possible qu'il lui donne son nom.

Le cœur des comédiens s'arrêta, leurs mains se mirent à trembler, leurs yeux s'enflammèrent et le mot « Paris » gronda dans la salle mauresque.

Quand les hurlements des acteurs se furent calmés, Molière donna l'ordre de charger les bagages, de lever le camp et de rejoindre Paris.

C'est dans le soleil couchant d'un jour de l'automne 1658 que les fourgons arrivèrent en vue de la capitale. Les feuilles d'octobre tombaient dans le bois. Et voici qu'au loin se montraient les toits pointus des maisons, les cathédrales étirées en hauteur. Si près qu'il semblait qu'on pouvait la toucher de la main, la noirceur des faubourgs attendait.

Molière arrêta la caravane et descendit de sa charrette pour se dégourdir les jambes. Il fit quelques pas à l'écart et se mit à contempler la ville qui, il y a douze ans de cela, l'avait chassé, ruiné et humilié.

Des lambeaux de souvenirs traversaient son cerveau. Un instant il eut peur et envie de faire marche arrière, vers le Rhône tiède ; il crut entendre le clapotement des vagues du fleuve sur la poupe et le pincement des cordes de l'« Empereur du Burlesque ». Il se sentit vieux. Il pensa, en frissonnant de froid, qu'il n'avait rien à lui dans sa charrette, sauf des farces et ses deux premières comédies. Il pensa qu'à l'Hôtel de Bourgogne jouaient les meilleurs acteurs du roi, qu'à Paris il y avait Scaramuccia, son ancien maître, qu'à Paris il y avait un ballet étincelant !

Il eut envie de retourner à Lyon, dans le vieil appartement d'hiver... Et l'été, ce serait vers la mer Méditerranée... Il vit surgir le spectre de la prison humide et répugnante qui avait failli l'engloutir il y a douze ans, et il dit en remuant les lèvres, tout seul :

— Faire demi-tour ? Oui, je vais faire demi-tour...

Il fit demi-tour, gagna la tête de la caravane, vit les visages des acteurs et des actrices qui dépassaient de toutes les charrettes et dit à l'homme de tête :

— Allons, avançons !

11. *Brou-ha-ha !!!*

Dans l'immense salle des Gardes de l'ancien palais du Louvre, autrement appelée salle des Cariatides, une agitation insolite régnait vers la fin de ce mois d'octobre 1658 : grincements de scies, tambourinage impatient des marteaux des ouvriers du théâtre. Une scène fut montée et l'on commença à l'équiper. Un machiniste passa en courant, essuyant son front en sueur, et les aides du régisseur s'affairèrent.

Au milieu d'eux se démenait, excité, tantôt criant, tantôt suppliant, un homme plutôt laid, grimaçant, vêtu d'une veste aux manches maculées de peinture. L'émotion avait rendu ses mains désagréablement froides, et par surcroît il s'était mis à bégayer, chose qui ne manquait jamais de le terrifier. Par moments, il pestait sans aucune raison contre les acteurs qui, selon lui, venaient toujours se fourrer dans ses jambes pour l'empêcher de travailler.

Mais comme d'habitude tout finit par s'arranger, et le 24 au matin les décors de *Nicomède* de Pierre Corneille étaient dressés sur la scène.

Il faut dire que du moment où il fit son entrée à Paris, le directeur mena sagement sa barque, en vrai comédien avisé. Il se présenta à la capitale chapeau bas, un sourire obséquieux sur ses lèvres charnues. Qui l'aida? Les gens mal renseignés pensèrent au prince de Conti. Mais nous savons, vous et moi, que le Conti effrayé de Dieu fut complètement en dehors de cette affaire. Non, non, non! Celui qui aida Molière sur le difficile chemin de la cour fut ce Pierre Mignard qui, de ses yeux lourds, avait si bien su l'évaluer à Avignon. Mignard avait énormément de relations. C'est surtout grâce à lui que Molière parvint à obtenir l'oreille du tout-puissant cardinal Mazarin, qui était la seule chose dont il avait besoin pour mener à bien son entreprise...

Désormais, il ne restait plus qu'à bien se tenir dans la conversation avec le prince Philippe d'Orléans, Frère Unique du roi.

Et voilà une immense salle toute en dorures. Molière est là, le cou ployé, la main gauche touchant poliment la poignée de l'épée tenue par une large bandoulière, et dit :

— Oui, beaucoup d'eau a coulé, Votre Altesse Royale, depuis que mon « Illustre-Théâtre » est mort à la « Croix-Blanche ». Naïve appellation, n'est-ce pas? Ah, je vous assure, Votre Altesse, il n'y avait dans ce théâtre pas l'ombre de quoi que ce soit de brillant! D'ailleurs Votre Altesse avait alors six ans. Votre Altesse était un enfant. Votre Altesse ne peut évidemment pas se souvenir!

Philippe de France, duc d'Orléans, *Monsieur*, frère unique du roi, garçon de dix-huit ans, est là, appuyé sur une lourde table, qui écoute poliment l'entrepreneur. Les interlocuteurs s'étudient du regard.

L'entrepreneur arbore un sourire de renard, et tout son visage n'est que plis mielleux appris, mais les yeux sont sur le qui-vive, attentifs.

Le visage de Philippe de France est celui d'un adolescent, mais déjà touché par une passion enfouie. L'enfant regarde le directeur, la bouche un peu entrouverte. Cet homme énigmatique appartient à ce monde étrange que l'on appelle « monde du théâtre ». Cet homme actuellement impeccablement habillé a, paraît-il, voyagé dans des charrettes à bœufs et dormi dans des étables. Et tout son entourage lui assure qu'on peut attendre de cet homme des divertissements étonnants.

Philippe de France analyse son sentiment — qui est ambigu : apparemment, il devrait avant tout être retenu par le sourire et les plis du visage, mais en aucun cas par les yeux du comédien. Il a vraiment des yeux bien sombres. Et Philippe essaie de se forcer à aimer les plis du visage, mais il y a toujours ces yeux qui l'attirent. Quand le directeur de théâtre a ouvert la bouche pour parler, Philippe a décidé qu'il avait une voix désagréable, et qu'en plus il a une façon bizarre de reprendre sa respiration en parlant, ce qui ne se fait pas à la cour. Mais après les premières phrases, sans savoir pourquoi, Philippe commence à aimer la voix de l'invité.

— Votre Altesse Royale me permettra de lui présenter...

Les lourdes portes s'ouvrent, et le directeur se recule, comme il faut faire, c'est-à-dire sans tourner le dos à son interlocuteur. Décidément, il a vraiment nagé dans tous les milieux !

— Messieurs, entrez ! dit l'invité.

Philippe est étonné : la voix de l'homme s'est faite rude, presque grossière. Mais il poursuit aussitôt après de sa voix d'avant :

— Permettez-moi de vous présenter...

Encore cette voix coupante, hachée, qu'emploient les gens qui voyagent en charrette à bœufs.

— ... Mademoiselle Madeleine Béjart... Mademoiselle Du Parc... Mademoiselle de Brie...

À la vue des femmes, Philippe fait comme son frère, enlève aussitôt mécaniquement son chapeau à plumes et écoute. Il voit des femmes comme les autres, et se prend à penser qu'elles sont pâles et qu'elles ne l'intéressent vraiment pas. Puis il voit des hommes et remet son chapeau. Devant lui se trouve un homme rond comme un ballon, qui respire bruyamment, souriant comme un soleil. C'est monsieur Du Parc qui lui aussi promet vraiment beaucoup. Puis un autre vient saluer, une espèce de boiteux, jeune, un sourire sur les lèvres mais pâle d'effroi. Puis d'autres encore, beaucoup d'autres. L'invité a vraiment toute une troupe.

Puis tout ce monde disparaît et Philippe d'Orléans dit qu'il est très heureux, qu'il aime beaucoup le théâtre, qu'il a beaucoup entendu parler de celui-ci... Il est ravi, il prend la troupe sous sa protection... Mieux, il est convaincu que le roi ne refusera pas de voir les acteurs de monsieur de Molière... Il énonce bien le nom ?

— Très bien, Votre Altesse Royale !

Oui, il est convaincu que Sa Majesté ne refusera pas de voir les acteurs de monsieur de Molière jouer leurs pièces.

À ces mots, l'invité se fait tout pâle, répond :

— Oh, Votre Altesse est trop bonne, mais je m'efforcerai de justifier la confiance...

D'une troisième voix, extraordinairement austère et insistante, l'invité interroge et espère que Sa Majesté est en bonne santé, ainsi que la reine mère.

Et c'est à la suite de cette conversation que fut dressé sur la scène de la salle des Gardes un *Nicomède* de toile.

L'homme regarde le décor avec angoisse, et à nouveau a peur. Il se souvient du Rhône et du vin muscat... Là-bas, vraiment, se trouve la liberté ; là-bas, n'existe pas cette responsabilité accablante, mais il est trop tard, trop tard pour s'enfuir n'importe où !

Le Vieux Louvre serait-il en feu ? Non, ce sont des milliers de bougies qui brûlent sur les lustres de la salle des Gardes, et dans leur lueur les Cariatides immobiles prennent vie. Costumé en Nicomède, à demi paralysé, monsieur de Molière regardait par l'ouverture du rideau la salle se remplir. Monsieur de Molière croyait perdre la vue. Sur toutes les mains éclataient des feux de diamants, et les poignées des épées renvoyaient les mêmes feux... Le regard était capté par une forêt de plumes et de dentelles, les yeux aveuglés par les emblèmes des capes ; sur tous les cavaliers resplendissaient les merveilleux rubans de la boutique de Perdrigeon et sur les têtes des dames vacillaient de savantes coiffures.

Toute la cour, toute la garde était dans la salle.

Et devant tout le monde, assis dans un fauteuil à côté de Philippe de France, se trouvait un jeune homme d'une vingtaine d'années, dont la vue fit défaillir le directeur de la troupe. Cet homme était le seul à avoir conservé son chapeau sur la tête. Dans le brouillard des respirations, Molière parvint à distinguer le visage hautain du jeune homme, les yeux qui ne cillaient pas, la lèvre inférieure avancée en une moue capricieuse.

Mais dans le lointain, Molière pouvait distinguer des têtes qui ne l'effrayaient pas moins que le visage altier et froid du jeune homme en chapeau à plumes : c'étaient celles des acteurs royaux de l'Hôtel de Bourgogne. « Je m'y attendais, pensa mélancoliquement le directeur. Ils sont tous là. » Il reconnut madame des Œillets, célèbre pour sa laideur et pour le fait qu'elle était sans rivale en France dans l'interprétation des rôles tragiques. Et derrière elle se pressaient les visages de messieurs Montfleury, Beauchâteau, Raymond, Poisson, Hauteroche, Villiers... Ce sont eux, les acteurs du roi, la troupe de Bourgogne !

Le premier signal du début retentit, et le directeur s'écarta du rideau. Il y eut un autre signal, la salle se tut, le rideau s'ouvrit et sur la scène s'élevèrent les mots de la reine Laodice :

Seigneur, je vous l'avoue, il doit m'être bien doux...

À mesure que la représentation se déroulait, une perplexité croissante s'emparait de la salle. Quelqu'un risqua un toussotement, puis il y en eut un autre et un troisième, et tous les acteurs savent ce que cela veut dire. Puis commencèrent les chuchotements, les échanges de regards étonnés. Que se passait-il ? Depuis deux semaines, un nom, Molière, se répandait dans tout Paris, mettait en émoi la ville et la cour... Molière à droite, Molière à gauche... Vous êtes au courant ? Un provincial ? On le dit étonnant ! Et en plus il écrit aussi ? Sa Majesté de vingt-quatre ans sera dans la salle des Gardes. Vous êtes invité ? Molière, Molière, partout Molière... Qu'est-ce que cela, messieurs? À l'Hôtel de Bourgogne, on joue beaucoup mieux Corneille!

L'ennui a commencé de s'installer sur les visages des courtisans. Oui, elle est mignonne, cette... Du Parc. Quant à Molière lui-même... Non, il n'est pas mauvais, mais il a une drôle de manière de dire les vers, on dirait de la prose. Bizarre!

Il y avait cependant un spectateur dont les yeux ne brillaient pas d'ennui, mais d'une joie méchante. Cet homme gras et sanguin était Zacharie Montfleury, l'une des têtes d'affiche de l'Hôtel de Bourgogne. À côté de lui, Hauteroche et Villiers chuchotaient à voix basse. *Nicomède* s'acheva sur de maigres applaudissements de la salle.

Le jeune Orléans était atterré. Il restait enfoncé dans son fauteuil, la tête rentrée dans les épaules, sans pouvoir lever les yeux.

Et à cet instant, monsieur de Molière, qui, dans son funeste entêtement à jouer la tragédie, avait risqué sur une seule carte son séjour à Paris et l'existence même de la future grande comédie française, parut sur la scène. Des perles de sueur gouttaient à son front. Il salua et ébaucha un sourire charmeur. Il ouvrit la bouche, il voulait parler.

Les murmures cessèrent dans la salle.

Et monsieur de Molière parla. Il dit qu'il devait avant tout remercier la reine mère (Anne d'Autriche se trouvait dans la salle) et Sa Majesté pour la bonté et l'indulgence dont ils avaient fait preuve en pardonnant à des défauts manifestes et inexcusables.

« Il reprend encore cette voix, le maudit, pensa Philippe d'Orléans, qui ne songeait plus maintenant qu'à la honte et aux désagréments. C'est une calamité en voiture à bœufs qui est venue me tomber dessus à Paris... »

Monsieur de Molière poursuivait :

— Non ! Il dirait même davantage : Leurs Majestés avaient pardonné à son impertinence.

« Va te faire pendre, toi et tes sourires ! » pensa Orléans.

Mais le reste de l'assistance accueillait ces sourires sans déplaisir. Mieux, elle en était ravie.

Et monsieur Molière poursuivit son habile adresse : la seule raison de sa présence était l'irrépressible désir qu'il avait de divertir Leurs Majestés ; il reconnaissait très volontiers que lui-même et les acteurs de sa troupe n'étaient que de pauvres copies, que les admirables originaux se trouvaient là, dans le public...

De nombreuses têtes se tournèrent vers les acteurs de l'Hôtel de Bourgogne.

— Mais Votre Majesté nous permettra peut-être de lui présenter une petite farce ? Ce n'est évidemment qu'une bagatelle, indigne de son attention... Mais la province a beaucoup ri !...

Le jeune homme à l'air altier s'agita pour la première fois sous son chapeau à plumes et acquiesça d'un geste poli.

Alors, nageant dans la sueur derrière le rideau baissé, ouvriers et acteurs transformèrent en quelques minutes la scène et dressèrent le décor du *Docteur amoureux*, que monsieur Molière avait écrit au cours de ses nuits d'insomnies vagabondes.

Les fiers et solennels héros de la tragédie de Corneille cédèrent la scène à Gorgibus, Gros-René, Sganarelle et aux autres personnages de la farce. Dès que fit irruption sur les planches un médecin amoureux en qui il était bien difficile de reconnaître le

Nicomède de l'instant précédent, les sourires fleurirent dans la salle. À la première réplique, ce furent des rires. Et quelques instants plus tard, les rires s'étaient transformés en grondements. Et l'on vit le jeune homme superbe se renverser contre le dossier de son fauteuil et essuyer, sanglotant, les larmes de ses yeux. Et soudain, à son propre étonnement, Philippe d'Orléans se prit à glapir de rire.

Le regard du médecin amoureux s'illumina d'un coup. Il se rendait compte que c'était là un bruit qu'il avait déjà entendu. Et pendant qu'il ménageait entre les répliques les pauses nécessaires à l'écoulement des vagues de rires, il se rendait compte qu'il avait affaire au bruit intraduisible, bien connu et toujours annonciateur du succès qui avait reçu dans la troupe le nom de « brouhaha » ! Un frisson délicieux courut sur la nuque du grand acteur comique. Il pensa : « Victoire ! » et se donna tout entier. Et les mousquetaires qui montaient la garde devant les portes, et qui ne devaient en aucun cas se départir de leur impassibilité, se mirent à leur tour à hoqueter de rire.

Les seuls à ne pas rire dans la salle étaient les acteurs de l'Hôtel de Bourgogne, à l'exception de des Œillets et d'une autre personne.

« À moi, Vierge Très Pure (les mots cognaient dans la tête du médecin). Tiens, public, prends ça, et ça, et encore ça ! Aide-moi, gros Du Parc ! »

« Diable ! Diable ! Quel acteur ! » se disait Montfleury, catastrophé.

Il parcourut l'assistance d'un regard éteint, vit à côté de lui Villiers pétrifié. Et un peu plus loin, après Villiers, seul de tous les acteurs de l'Hôtel à rire sans arrière-pensée, il était là, les yeux brillants — un homme couvert de dentelles et de rubans, une longue épée attachée à la hanche, ancien officier de la Garde, qui avait changé son nom encombré de particules pour le bref pseudonyme de théâtre de Floridor. Cet homme au nez busqué, au visage fin, était un remarquable tragédien et le meilleur interprète en France du rôle de Nicomède.

« Mais qu'est-ce qui lui a pris de commencer par se ridiculiser en Nicomède ? pensait Floridor en se tordant de rire. Il voulait me faire concurrence ? Pour quoi faire ? Il n'y a qu'à partager la scène en deux : donne-moi la tragédie, je te passe la comédie ! Quelle technique ! Qui peut bien rivaliser avec lui ? Scaramouche, peut-être. Et encore... »

Le final du *Médecin amoureux* fut couvert par un tel « brouhaha » qu'on crut un instant que les Cariatides allaient s'écrouler.

« Merci, Orléans, merci ! pensait Zacharie Montfleury pendant que les machinistes se pendaient aux cordes et que le rideau remontait sur la scène. Tu nous a bien eus avec tes provinciaux ! »

Le rideau se baissa, remonta, se baissa à nouveau. Il remonta et se baissa encore et encore. Molière se tenait près de la rampe, saluait, et la sueur de son front dégoulinait sur les planches.

— D'où vient-il ? Qui est-il ?... Et tous les autres ?... Et ce gros Du Parc ?... Et la servante ?... Où ont-ils appris ?... Ils sont plus forts que les Italiens, messieurs ! Les grimaces de ce Molière, Votre Majesté...

— Je vous l'avais bien dit, Votre Majesté...

Philippe d'Orléans avait pris une voix pleine d'assurance, mais Louis ne l'écoutait pas. Il s'essuyait les yeux de son mouchoir, comme pleurant la perte d'un proche.

Tendre grand-père Cressé maintenant mort ! Si tu

avais pu te trouver dans la salle des Gardes le 24 octobre 1658!

Les acteurs de Son Altesse le duc d'Orléans, Philippe de France, auront la salle du Petit-Bourbon! Une pension permanente leur sera allouée par le duc. Ils joueront en alternance avec la troupe italienne — un jour les Italiens, un jour les Français. Exécution et vogue la galère!

12. *Le Petit-Bourbon*

Anagramme : Élomire-Molière

Devant le monde comme un affront,
Élomire a été placé au Bourbon.

Pasquinade, *Élomire Hypochondre*, 1670.

Conformément à l'ordonnance royale, Molière alla fraternellement partager le toit du Petit-Bourbon avec la troupe italienne. *Le Docteur amoureux* avait tant plu au roi que celui-ci alloua à la troupe de Molière une pension annuelle de mille cinq cents livres, à la condition que monsieur Molière s'engage à payer aux Italiens son entrée au Théâtre Bourbon. Et Molière convint avec les Italiens, que dirigeait son ancien maître Scaramuccia, qu'il leur verserait l'intégralité de la somme, c'est-à-dire mille cinq cents livres par an.

La troupe de Molière eut droit au titre de « Troupe de Monsieur, Frère Unique du roi », lequel attribua immédiatement à chacun des acteurs trois cents livres annuelles. Mais il faut ici à notre grand regret observer que, à ce que rapportent les contemporains, les acteurs ne virent jamais la moindre de ces trois cents livres.

On peut trouver la raison de cet état de choses dans l'état déplorable de la caisse du frère du roi.

— En tout cas, l'intention du frère du roi est une noble intention, reconnaissaient tristement les acteurs.

On décida que les profits seraient répartis entre les acteurs en proportion de leurs parts. Molière recevrait en outre des honoraires d'auteur pour ses pièces.

Le partage des jours de représentation avec les Italiens fut aisé. Molière jouerait les lundis, mercredis, jeudis et samedis. Par la suite, quand les Italiens quittèrent Paris, Molière eut les dimanches, mardis et vendredis.

Le palais du Petit-Bourbon était situé entre l'église Saint-Germain-l'Auxerrois et le Vieux Louvre. Son entrée principale était surmontée d'une grande inscription où l'on lisait « Espérance », mais le palais lui-même était passablement délabré. Toutes les armoiries et décorations étaient détériorées ou complètement détruites, car la guerre civile des dernières années était passée par là. À l'intérieur se trouvait une assez grande salle de théâtre, avec des galeries sur les côtés et des colonnes doriques entre les loges. Le plafond de la salle était décoré de fleurs de lys ; des lustres cruciformes éclairaient la scène et les murs étaient garnis d'appliques métalliques.

La salle avait un riche passé. En 1614 s'y étaient réunis les derniers États Généraux (si l'on ne tient pas compte de ceux que convoqua 175 ans plus tard Louis XVI). C'est dans cette salle que le prévôt des marchands de Paris, président du Tiers État, demanda au roi de sauver « le pauvre peuple, qui n'a plus que la peau et les os ». Et à partir de 1615, quand le ballet royal l'eut quittée, la salle fut utilisée pour des représentations théâtrales, le plus souvent par les

Italiens qui y donnaient leurs pièces. Mais les Français y jouaient aussi. La vie théâtrale du Bourbon s'interrompit quand commença la Fronde, et la salle servit à incarcérer les criminels d'État arrêtés sous l'inculpation de crime de lèse-majesté. C'est à eux que sont dues les déprédations subies par les décorations intérieures.

Quand la Fronde fut finie, on représenta au Petit-Bourbon la pièce de Pierre Corneille *Andromède*, dans une mise en scène complexe et avec un accompagnement musical composé par notre vieille connaissance d'Assoucy. Celui-ci soutint par la suite qu'il avait ainsi donné la vie aux vers de Corneille.

Enfin, la salle fut dévolue aux Italiens. Ceux-ci étaient très appréciés à Paris : outre le fait qu'ils jouaient bien, ils avaient un machiniste et décorateur de premier ordre, Torelli, qui était un maître dans l'art d'équiper la scène pour permettre à ses compatriotes de remplir leurs féeries de prodiges.

Un feuilletonniste théâtral de l'époque, Loret, a exprimé en de mauvais vers son enthousiasme devant les machineries des Italiens :

Là-bas, volant au-dessus de la scène
Un diable épouvantable a effrayé tout le monde.
De Paris à la Chine
On ne voit pas de telles merveilles.

Les Italiens avaient en outre un merveilleux ballet, ce que ce même Loret nota ainsi :

Mais vous avez beau dire
Il n'y a pas de plus grand bonheur

117

Que de voir des Italiens
L'étincelant ballet!

C'est donc face à cette redoutable troupe que Molière et ses comédiens eurent à se produire.

Jean-Baptiste, qui était arrivé à Paris au mois d'octobre, pénétra dans la maison de son père et étreignit tendrement le vieillard. Celui-ci ne comprenait pas très bien les raisons du foudroyant succès de son fils aîné, qui avait renoncé à son titre et qui avait abandonné la tapisserie pour se consacrer à l'art de la comédie. Mais l'épée brillante, la mise coûteuse et le fait que Jean-Baptiste était maintenant directeur de la troupe du frère du roi, ébranlèrent le vieillard et le réconcilièrent avec son fils.

Après avoir bu un peu de bouillon et s'être remis dans la maison paternelle des émotions du 24 octobre, Molière s'installa sérieusement à Paris et commença à répéter au Petit-Bourbon.

Le 2 novembre 1658, Molière inaugura pourtant ses représentations au Petit-Bourbon non par une comédie, mais par la tragédie de Corneille, *Héraclius*. La pièce fut jouée de manière passable, et l'accueil du public décent, mais une certaine perplexité envahit Paris. Certains affirmaient que la troupe de « ce... comment déjà... Molière » jouait remarquablement, et mimaient à l'appui de leurs dires les rires du roi. C'étaient ceux qui avaient vu *Le Docteur amoureux* dans la salle des Gardes. Mais d'autres disaient que la troupe de Molière jouait de manière très moyenne et ne comprenaient pas pourquoi on avait fait si grand bruit pour lui donner le Petit-Bourbon. Ceux-là avaient vu *Héraclius*.

Le trouble qui régnait dans les esprits eut pour résultat de faire déferler un flot humain sur le Petit-Bourbon. Chacun voulait voir de ses propres yeux quel genre de personnage était ce Molière dont tout le monde parlait. Le flot vint se briser sur *Nicomède* et sur *Le Docteur amoureux*, et un nouveau parti de témoins enthousiastes essaima dans Paris. De *Nicomède* il était d'ailleurs très peu question : les clameurs allaient uniquement à la beauté de Mademoiselle Du Parc et à l'incroyable vertu comique de « ce Molière » et de son admirable farce.

Les escouades suivantes de spectateurs n'eurent pas autant de chance. Molière représenta successivement trois pièces de Corneille, *Rodogune*, *Pompée* et *Le Cid*. Le public s'insurgea et un bouillant Parisien qui assistait, debout dans le parterre, à une fastidieuse représentation de *Pompée* eut l'heureuse inspiration de lancer une pomme sur la tête de monsieur Molière costumé en César. À la suite de cette hardiesse, la lumière se fit dans l'esprit du directeur de la troupe, qui annonça *L'Étourdi*. L'ambiance changea du tout au tout : le succès fut total.

Ceci pose néanmoins encore une fois l'importante question des raisons de l'échec des tragédies interprétées par Molière. C'est-à-dire : était-ce les acteurs de l'Hôtel de Bourgogne qui jouaient bien la tragédie, ou Molière qui la jouait mal ? Ni l'un ni l'autre. En fait, Molière avait une manière d'interpréter les tragédies qui était très différente de la manière habituelle. Il y avait à l'Hôtel de Bourgogne, comme dans tout théâtre, de très grands acteurs, tels madame des Œillets et monsieur Floridor ; il y en avait de moyens et

119

il y en avait de mauvais. Beaucoup d'entre eux appartenaient à l'école de ce Bellerose qui faisait les délices du grand-père Cressé mais dont un Parisien particulièrement clairvoyant avait dit un jour :

— Le diable l'emporte! Quand il joue, on dirait qu'il ne comprend pas un mot de ce qu'il dit!

Naturellement, cette appréciation comportait une part d'exagération. Mais il faut bien avouer que Bellerose avait un jeu artificiel, que n'animait aucune vie intérieure.

Quant au gras et maladivement jaloux Zacharie Montfleury, qui bénéficiait à Paris d'une tapageuse renommée, voici ce qu'en disait l'épicurien Cyrano de Bergerac :

— Montfleury s'imagine qu'il est grand uniquement parce qu'un jour entier ne suffirait pas à le bâtonner en conséquence.

D'une manière générale, Montfleury excitait chez le fin connaisseur des choses de la scène qu'était Bergerac une telle haine que celui-ci se permit un jour qu'il était ivre de causer un scandale dans le théâtre en couvrant d'injures Montfleury et en le chassant de la scène. Qu'est-ce que cela prouve? Cela prouve, premièrement, qu'un tel comportement était indigne de la part de monsieur Bergerac, dramaturge et élève de Gassendi : il n'était pas difficile à l'époque d'insulter un comédien, et cet acte n'avait rien de particulièrement héroïque. Mais cela montre aussi à quel point l'antique style déclamatoire pesait aux novateurs intelligents. C'est pourtant dans ce style-là que jouaient tous les acteurs de l'Hôtel — les uns bien, d'autres mal.

Molière, lui, avait voulu dès ses premiers pas sur la scène, à l'époque de l' « Illustre-Théâtre », créer une nouvelle école d'interprétation où le texte dramatique serait dit d'une manière naturelle et entièrement justifiée de l'intérieur. C'est dans ce style que Molière avait commencé à travailler et à former ses comédiens.

Que se passa-t-il alors ? Il semblerait que Molière aurait dû imposer ses vues et gagner à son système les cœurs des spectateurs. Malheureusement, il n'en fut rien. Molière appliqua son système en premier lieu à la tragédie, alors qu'il n'avait rien pour réussir dans les rôles tragiques : ni le tempérament, ni la voix. En résumé, il savait très bien comment la tragédie devait être jouée, et il la jouait mal. Quant à ses camarades, il y avait certes parmi eux de nombreux acteurs très capables de bien jouer la tragédie, mais le système de Molière était encore trop jeune pour pouvoir faire d'emblée la conquête du public.

Enfin, quand les acteurs de l'Hôtel de Bourgogne entamaient la péroraison finale et déclamaient de leurs voix parfaitement placées des monologues pseudo-classiques (Montfleury était passé maître dans cet art), ils remportaient un succès total auprès du public parisien de l'époque. Celui-ci voulait voir avant tout de puissants héros en armure, des héros à la voix d'airain, et non les modestes personnes qu'ils étaient eux-mêmes dans leur vie de tous les jours. Voilà quelle était la cause de l'échec des tragédies représentées par Molière.

Au Petit-Bourbon, *L'Étourdi* fut suivi du *Dépit amoureux*, qui eut lui aussi beaucoup de succès. Philibert du Croisy, nouveau venu dans la troupe, contribua pour beaucoup à ce succès par son interprétation remarquable du rôle de Métaphraste, l'érudit comique.

Après *Le Dépit amoureux*, la troupe italienne prit conscience du danger que représentait l'association avec le Français Molière. Le public de la capitale, qui avait l'habitude de ne se déplacer que pour les Italiens, affluait maintenant aussi les jours où Molière jouait. Les pistoles d'or se déversaient dans la caisse des anciens vagabonds devenus comédiens attitrés du duc d'Orléans. Les parts des acteurs augmentèrent et le nom de Molière fut sur toutes les lèvres dans la capitale.

Mais que disait-on? D'abord, que le dramaturge Molière puisait impudemment dans les œuvres des auteurs italiens pour s'en attribuer les mérites. Avec le temps, la référence aux rapines de Molière entra si bien dans les mœurs que, s'il était impossible d'affirmer avec certitude ce qu'il avait emprunté et où il l'avait emprunté, on disait qu'il avait « apparemment » emprunté. Et quand ce dernier adverbe était lui-même difficile à justifier, on disait qu'il avait « pu » emprunter là ou là... On finit même par attribuer à Molière cette phrase retentissante et désinvolte : « Je prends mon bien là où je le trouve » — bien qu'il n'eût jamais rien dit de tel, mais au contraire : « Je reprends mon bien... », faisant ainsi allusion aux emprunts que d'autres lui avaient faits.

En réalité, Molière connaissait admirablement, outre les œuvres des classiques de l'Antiquité, celles des auteurs espagnols et italiens, et il lui arrivait souvent d'emprunter des sujets à ses devanciers, de leur reprendre des personnages et parfois des scènes entières. Faut-il condamner cette étrange pratique? Je n'en sais rien. Mais je peux dire que, de l'avis général, Molière transformait tout ce qu'il empruntait en quelque chose d'infiniment supérieur à l'original. Les critiques écrivirent notamment après *Le Dépit amoureux* que Molière avait trouvé l'essentiel du contenu de son œuvre dans la comédie de l'Italien Niccolo Secchi, *L'Interesse,* comédie écrite soixante-quinze ans avant la pièce de Molière. Par ailleurs, il avait pu s'inspirer d'une autre pièce italienne, *Les Insuccès de l'amour.* En outre, il avait pu reprendre une idée exprimée dans une pièce d'Horace, l'auteur de l'Antiquité. Enfin, il avait pu trouver quelque chose dans *El Perro del Hortelano* du fameux dramaturge espagnol Felix Lope de Vega Carpio, qui était mort à l'époque où Molière enfant se trouvait dans la boutique paternelle. À propos de ce de Vega, on peut remarquer qu'il n'est pas bien difficile de lui emprunter quelque chose, étant donné qu'il écrivit près de huit cents pièces et fut surnommé non sans raison le « Phénix de l'Espagne » ou la « Merveille de la Nature ».

Bref, mon héros avait, comme vous le voyez, beaucoup lu, y compris en espagnol.

Donc, ce *Dépit amoureux* écrit aux dépens d'autrui eut beaucoup de succès et fut acclamé par les Parisiens, éveillant ainsi l'attention soupçonneuse et peu amicale de l'Hôtel de Bourgogne.

L'année 1659 fut marquée par de nombreux changements dans la troupe. À Pâques, un jeune homme vint voir Molière, se présenta respectueusement et demanda à entrer dans la troupe. Il s'appelait Charles Varlet, sieur de La Grange, avait un visage sérieux et viril barré de fines moustaches et était spécialisé dans les rôles de premier amant. Il plut beaucoup à Molière qui l'engagea immédiatement : décision qui apparut par la suite, du point de vue de ceux qui au cours des siècles s'attachèrent à la vie de mon héros, parfaitement justifiée.

Dès les premiers jours de son entrée dans la troupe,

le sieur de La Grange se munit d'un gros cahier qu'il baptisa « Registre », et jour après jour entreprit d'y consigner tous les événements qui se produisaient dans la troupe de Molière. Le sieur de La Grange nota ainsi les morts et les mariages des acteurs, les départs et les entrées dans la troupe, le nombre des représentations, les recettes *et cætera*. Sans ce précieux « Registre » que La Grange tint à jour en l'agrémentant de petits dessins symboliques, nous en saurions beaucoup moins sur notre héros que nous n'en savons maintenant, ou plutôt nous ne saurions pratiquement rien.

La Grange entra donc dans la troupe, et du Fresne quitta la capitale pour regagner sa Normandie natale. Le théâtre du Marais fit des offres au couple Du Parc, et celui-ci s'en fut à la suite d'un quelconque différend avec Molière. Ce fut une grande perte. Une certaine consolation fut apportée par la venue du célèbre comique du Marais et de l'Hôtel de Bourgogne Julien Bedeau, surnommé Jodelet par référence au personnage comique des pièces de Scarron. Il fit dans la troupe un excellent travail, qui fut malheureusement de brève durée : Jodelet mourut l'année suivante. Du Marais, Jodelet avait emmené avec lui son frère, le sieur de l'Espy, qui tint les emplois de vieillard ridicule généralement désigné dans les farces sous le nom de Gorgibus.

Il convient enfin de rapporter un pénible événement : à la fin du mois de mai 1659, ce fut le départ du premier compagnon d'armes de Molière, l'ancien « Enfant de la Famille », l'amoureux qui bégaya jusqu'à la fin de sa vie, Joseph Béjart. Toute la troupe l'accompagna au cimetière et le théâtre fut proclamé en deuil durant quelques jours.

Ainsi s'écoula l'année 1659, dans la fièvre du travail, les soucis matériels et l'agitation des esprits, l'alternance des joies et des chagrins. Et à son terme éclata comme un coup de canon un événement remarquable.

13. *Le salon bleu fustigé*

Marotte : *Voilà un laquais qui demande si vous êtes au Logis, et dit que son maître vous veut venir voir.*
Madelon : *Apprenez, sotte, à vous énoncer moins vulgairement. Dites : « Voilà un nécessaire qui demande si vous êtes en commodité d'être visibles. »*

Si l'on avait demandé à n'importe quel Parisien introduit dans le monde de cette première moitié du XVIIe siècle quel était l'endroit le plus agréable de Paris, il aurait répondu incontinent que c'était le salon bleu de madame de Rambouillet.

Fille de l'envoyé français à Rome, née de Vivonne, la marquise de Rambouillet était une personne éminemment raffinée, et ce depuis son enfance (on rencontre parfois des natures de ce genre !). Une fois mariée et installée à Paris, la marquise trouva, non sans raison, les mœurs quelque peu grossières. Elle décida donc de réunir autour d'elle ce que la capitale comptait de meilleur et entreprit d'attirer dans son hôtel la fine fleur de la société. Elle réserva à l'usage des réceptions un certain nombre de pièces, dont la plus fameuse était un salon aux murs tendus de velours bleu.

Madame de Rambouillet aimait la littérature plus que tout au monde, et son salon fut tout naturellement orienté principalement vers la littérature. Mais la société qui défilait dans ses appartements était néanmoins assez mélangée. On vit briller dans un fauteuil Jean-Louis de Balzac, écrivain mondain, puis apparaître la figure de penseur désenchanté du duc de La Rochefoucauld qui entreprit tristement de prouver à la marquise que nos vertus ne sont que des vices cachés. Les esprits troublés par les sombres discours du duc étaient réconfortés par les saillies du pétulant Voiture, et messieurs Cotin, Chapelain, Gilles Ménage et beaucoup d'autres se livraient de très intéressantes joutes oratoires.

Quand on sut que les meilleurs esprits de Paris tenaient séance chez la Rambouillet, on vit se presser dans le salon les mignons marquis aux genoux garnis de dentelles, les beaux esprits des soirées mondaines, les habitués des premières théâtrales, les compositeurs dilettantes et les protecteurs des muses, les auteurs de madrigaux amoureux et de tendres sonnets. Tout ce monde entraîna à sa suite les abbés mondains et, naturellement, une nuée de dames s'abattit sur le salon.

Il y eut Bossuet, qui se rendit par la suite célèbre en ne laissant pas passer un cadavre de quelque renommée en France sans prononcer sur la tombe de celui-ci un sermon inspiré. La première de ces oraisons (il est vrai que ce n'était pas une oraison funèbre) fut dite par Bossuet dans le salon bleu de la Rambouillet, alors qu'il était encore un galopin de seize ans.

Bossuet parla jusqu'à une heure avancée de la nuit, ce qui permit à Voiture de dire quand l'orateur eut fini d'exprimer tout ce qu'il avait en tête :

— Monsieur, je n'avais jamais encore entendu prêcher ni si tôt, ni si tard.

Les dames qui venaient chez madame de Rambouillet prirent très vite l'habitude en s'embrassant quand elles se rencontraient de s'appeler mutuellement « Ma précieuse ». Le petit mot de « précieuse » plut beaucoup à Paris et demeura à jamais attaché aux dames qui étaient l'ornement du salon de la Rambouillet.

Les vers commencèrent à cliqueter en l'honneur de la précieuse marquise que les poètes appelèrent « ensorcelante Arthenice » anagramme de son prénom Catherine. En l'honneur de sa jeune fille, Julie Rambouillet, qui étincelait de tous ses feux dans le salon maternel, les poètes tressèrent des couronnes de madrigaux. Puis vinrent les traits d'esprit, fabriqués principalement par les marquis. Ces traits étaient si contournés que de longs éclaircissements étaient nécessaires à leur compréhension. Il y eut bien sûr hors les murs du salon des personnalités évincées pour soutenir que ces traits d'esprit étaient tout simplement idiots, et leurs auteurs d'une incalculable nullité.

Jusque-là tout ceci n'aurait été que demi-mal, mais après les madrigaux et les traits d'esprit, Catherine de Rambouillet et ses séides entreprirent de s'attaquer pour de bon à la grande littérature.

Dans le salon bleu, les œuvres nouvelles étaient lues et discutées. Et dès qu'une opinion se dégageait, elle faisait force de loi à Paris.

Plus le temps passait, plus le raffinement se développait, plus énigmatiques devenaient les idées brassées dans le salon et contournée la forme qu'elles revêtaient.

Un simple miroir dans lequel se regardaient les précieuses se transformait dans leur langage en

« conseiller des grâces ». En réponse à une quelconque amabilité décochée par un marquis, la dame disait :

— Marquis, vous alimentez le foyer de l'amitié avec le bois de l'amabilité.

Le véritable prophète du salon de la Rambouillet et de ceux que montèrent ses imitatrices fut une certaine dame, sœur du dramaturge Georges de Scudéry. Celui-ci s'était rendu célèbre pour plusieurs raisons. Premièrement, il ne se considérait pas comme un simple dramaturge, mais comme le premier dramaturge de France. Deuxièmement, il n'avait absolument aucun don pour le théâtre. Troisièmement, il avait fait parler de lui en employant toutes ses forces à tenter de démontrer lors de la sortie du célébrissime *Cid* de Corneille d'une part que la pièce était immorale, et d'autre part que ce n'était pas une pièce du tout, puisqu'elle ne correspondait pas aux canons dramaturgiques aristotéliciens : y manquait l'unité de lieu, de temps et d'action. Naturellement, Scudéry échoua dans cette dernière entreprise, car personne ne pourra jamais démontrer à qui que ce soit, même avec le secours d'Aristote, qu'une œuvre qui a du succès, qui est écrite en bons vers, qui développe une action de manière intéressante et qui contient des personnages vigoureusement campés, n'est pas une pièce. Et l'on comprend que mon héros arrivé, tapissier et valet de chambre du roi, se soit par la suite risqué à glisser que toutes ces règles d'Aristote étaient pure bêtise et qu'il n'y a qu'une seule et unique règle — le talent.

L'envieux Georges de Scudéry avait donc une sœur du nom de Madeleine. Elle commença par fréquenter le salon de la Rambouillet, puis créa son propre salon et écrivit alors qu'elle était déjà dans l'âge mûr un roman intitulé *Clélie, histoire romaine*. Rome n'était en fait pour rien dans l'histoire. Les Romains n'étaient qu'un prétexte pour représenter des Parisiens en vue. Le roman était galant, affecté et incroyablement ampoulé. Les Parisiens s'en délectèrent et les dames en firent leur livre de chevet, d'autant que le premier tome était agrémenté d'une merveilleuse Carte du Tendre où l'on trouvait le fleuve d'Inclination, le lac d'Indifférence, les villages de Billet doux et Billet galant et autres délices du même goût.

Un plein tombereau de bêtises fit son entrée dans la littérature française et le galimatias envahit complètement les têtes précieuses. Les émules de Madeleine de Scudéry achevèrent de polluer la langue et s'en prirent même à l'orthographe. Un brillant projet naquit dans la tête d'une de ces dames : pour rendre l'orthographe accessible aux femmes, qui étaient, comme toujours, considérablement en retard sur les hommes, la dame proposait d'écrire les mots comme ils se prononcent. Mais les bouches que ce projet avait fait s'ouvrir ne s'étaient pas encore refermées qu'une calamité menaça de s'abattre sur les Précieuses.

En novembre 1659, le bruit se répandit que monsieur de Molière présentait au Petit-Bourbon sa nouvelle comédie en un acte. Le titre intéressa énormément le public — la pièce s'appelait *Les Précieuses ridicules*. Le soir du 18 novembre, Molière présenta sa nouvelle œuvre avec le *Cinna* de Corneille.

Dès les premiers mots de la comédie le parterre tendit des oreilles charmées. À la scène cinq, les dames écarquillèrent les yeux dans leurs loges (nous numérotons les scènes d'après le texte des *Précieuses* qui nous est parvenu). La scène huit fit sursauter les marquis qui se trouvaient selon la coutume de l'époque assis sur les côtés de la scène, tandis que le parterre se

131

mettait à rire aux éclats, d'un rire qui ne s'éteignit pas avant la fin de la pièce.

Voici quel en était le contenu. Deux demoiselles idiotes nourries des leçons de Scudéry, Cathos et Madelon, ont chassé leurs deux fiancés qui leur paraissaient insuffisamment raffinés. Les fiancés se sont vengés. Ils ont habillé leurs deux valets en marquis, et les rusés compères se sont rendus en visite chez les idiotes. Celles-ci ont reçu les serviteurs-filous à bras ouverts. Pendant une heure entière Mascarille ivre raconte aux demoiselles toute sorte de billevesées tandis que l'autre sacripant, le valet Jodelet, ment sur ses exploits guerriers. Le mufle arrogant, Mascarille récite et chante une poésie de sa façon :

Oh! oh! je n'y prenais pas garde :
Tandis que, sans songer à mal, je vous regarde,
Votre œil en tapinois me dérobe mon cœur.
Au voleur! au voleur! au voleur! au voleur!

— Au voleur! au voleur!!! hurle le valet devant le parterre rugissant de joie.

Se trouvaient ainsi ridiculisés aussi bien les cartes du tendre et les salons où l'on composait de tels vers que les auteurs de ces vers et les habitués de ces salons. Et il était difficile d'y trouver quelque chose à redire, puisque les personnages représentés n'étaient pas de véritables marquis, mais seulement des valets déguisés en marquis.

Sur la scène se jouait une farce d'une insolence débridée, qui n'avait rien d'innocent : c'était la farce des mœurs et coutumes du Paris d'alors, et ceux qui vivaient ces mœurs et créaient ces coutumes se trouvaient là, dans les loges et sur la scène. Le parterre riait aux éclats et pouvait les désigner du doigt. Il avait reconnu les grands seigneurs des salons, que l'ancien tapissier couvrait ainsi publiquement de ridicule. Des loges montaient des murmures alarmés : le bruit courait dans le public que Cathos, c'était sans aucun doute Catherine de Rambouillet, et Madelon — Madeleine de Scudéry.

Les marquis assis sur la scène étaient pourpres. Les porteurs ont emmené Molière-Mascarille. Sa perruque d'idiot était si démesurée que lorsqu'il se baissait pour saluer, les extrémités balayaient le plancher, et tout au sommet était perché un chapeau ridiculement petit. À ses genoux bouillonnaient des torrents de dentelles. Le pseudo-marquis Jodelet était joué par le vieux Jodelet, et les deux comédiens, le jeune et le vieux, s'en donnaient à cœur joie et arrachaient des rires au public en se livrant à des facéties toutes plus équivoques les unes que les autres à tous les égards. Les autres acteurs s'étaient mis à leur unisson, notamment mademoiselle de Brie, qui jouait le rôle de Madelon, la fille de Gorgibus.

Admirez nos beaux marquis et nos précieuses demoiselles ! Permettez, ce sont des valets, vous dites ? Bien sûr, ce sont des valets ! Mais où ont-ils pris ces manières ?... Ridicules, ils sont ! Ridicules ! Jusqu'au dernier ruban de leur costume ! Et ces vers, cet air guindé, cette hypocrisie, cette grossièreté naturelle quand ils s'adressent à leurs inférieurs !

Quand Molière jeta à travers l'ouverture de son masque un regard en direction du public, il aperçut installée au premier rang de sa loge, devant toute sa suite, l'estimable madame de Rambouillet. La digne vieille, comme tout le monde avait pu le remarquer, était devenue verte de rage : elle avait parfaitement compris la pièce. Et elle n'était pas la seule ! Du parterre, un vieil homme cria au milieu de l'action :

— Courage Molière ! Voilà la bonne comédie...

La bombe explosa si près des rangs des Précieuses qu'un début de panique s'ensuivit. Le premier à abandonner l'armée de la Rambouillet fut l'un de ses plus fidèles admirateurs et porte-drapeau, qui jeta carrément dans la poussière l'étendard qu'on lui avait confié. Le déserteur n'était autre que monsieur Gilles Ménage, le poète.

À la sortie, monsieur Ménage prit par le bras monsieur Chapelain et lui chuchota :

— Mon cher, il va nous falloir brûler ce que nous avons adoré... Il faut avouer que nous avions vraiment du temps à perdre pour fréquenter ainsi les salons !

Et monsieur Ménage d'ajouter qu'il avait trouvé la pièce forte et mordante, et qu'il avait d'ailleurs prévu tout cela...

Mais nous ne saurons jamais ce qu'avait au juste prévu monsieur Ménage, car ses dernières paroles furent emportées par le fracas des carrosses.

Le théâtre est éteint. Les rues sont maintenant complètement sombres. Emmitouflé dans un manteau, une lanterne à la main, toussotant dans l'humidité de novembre, Molière se hâte pour rejoindre Madeleine. Il y a bien sûr le feu dans la cheminée qui l'attire, mais il y a quelque chose qui l'attire plus encore. Il a hâte de voir la sœur et pupille de Madeleine, Armande Béjart, cette Menou qui, il y a six ans, jouait Éphyre à Lyon. C'est maintenant une jeune fille de seize ans. Molière a hâte de voir Armande, mais plisse douloureusement le front à la pensée des yeux de Madeleine. Ces yeux se durcissent chaque fois que Molière engage une conversation animée avec la coquette et virevoltante Armande.

Madeleine pardonne tout : elle a pardonné l'épisode lyonnais avec la Du Parc, elle a pardonné et s'est réconciliée avec madame de Brie, mais présentement elle a l'air d'être habitée par un démon !

Dans la nuit de novembre, dans le brouillard humide, une lanterne court le long des quais. Monsieur Molière ! Dites-nous, pendant que personne ne nous entend, quel est votre âge ? Vous avez trente-huit ans, et elle, seize ? Et qui sont ses parents ? Vous êtes sûr qu'elle est bien la sœur de Madeleine ?...

Il ne veut pas répondre. Et il ne peut peut-être pas répondre à notre question. Inutile donc de continuer à parler de cela. On peut passer à autre chose. Par exemple à l'erreur que Molière a commise dans *Les Précieuses* en égratignant au passage les acteurs de l'Hôtel de Bourgogne.

— À qui allez-vous donner votre pièce ?

— À eux, naturellement, aux acteurs du roi, répondait perfidement le rusé Mascarille. Il n'y a qu'eux qui soient capables de faire valoir les choses !

Monsieur Molière a eu tort de décocher ce coup de patte aux acteurs de l'Hôtel de Bourgogne. Il est clair pour les gens lucides qu'il est un homme d'une autre trempe, un homme qui a créé sa propre école, et Montfleury n'est pas aussi mauvais acteur que l'affirmait Bergerac. Molière et les acteurs de l'Hôtel suivent des voies différentes, et il ne sert à rien d'attaquer ces derniers, d'autant que des sorties comme celle des *Précieuses* ne prouvent absolument rien. Et il est très dangereux de se quereller avec tout le monde !

14. ... *Récolte la tempête*

Le lendemain, monsieur Molière reçut des pouvoirs parisiens un avis officiel l'informant que sa pièce *Les Précieuses ridicules* était dorénavant interdite à la représentation.

— Les bourreaux ! marmonna Molière en se renversant dans son fauteuil. Qui a bien pu faire cela ?

Oui, qui pouvait-ce bien être ? On ne sait. On a dit que l'interdiction avait été obtenue par un personnage puissant et haut placé qui fréquentait des salons du type de celui de madame de Rambouillet. Quoi qu'il en soit, il faut avouer que les Précieuses avaient su rendre avec usure le coup que Molière leur avait porté.

Se reprenant, Molière tenta d'imaginer ce qu'il pouvait faire et où il pouvait aller pour sauver la pièce. Il n'y avait en France qu'une seule personne susceptible de redresser la situation. Seule cette personne pouvait l'aider à se défendre contre l'intrigue, mais elle n'était malheureusement pas à Paris en ce moment.

Mon héros prit alors la décision d'envoyer la pièce à cette personne pour examen. Aussitôt s'ébaucha dans sa tête le brouillon d'un plaidoyer *pro domo* :

« Votre Majesté ! Il y a ici un évident malentendu ! *Les Précieuses* sont simplement une joyeuse comédie...

Votre Majesté, en homme de goût et de grand bon sens, autorisera, j'en suis sûr, cette amusante bagatelle... »

La pièce fut envoyée au roi pour examen. Mais en même temps, l'énergique directeur du Petit-Bourbon se lança dans une série de démarches. Conseil fut pris de Madeleine ; la troupe fut mise sur pied de guerre ; Molière alla se renseigner, fit des courbettes et des serments et décida à son retour de recourir à un dernier moyen pour ramener la pièce à la vie.

Ce moyen, connu de toute éternité des dramaturges, consiste pour l'auteur qui y est contraint à mutiler délibérément son œuvre. Moyen extrême ! Ainsi font les lézards qui, pris par la queue, s'en séparent pour prendre le large. Parce que tout lézard sait très bien qu'il vaut mieux vivre sans queue que ne pas vivre du tout.

Molière avait bien raisonné : les censeurs du roi ignorent que tous les remaniements qu'on peut apporter à une œuvre ne changent pas d'un iota son sens profond et n'affaiblissent en rien l'indésirable influence qu'elle peut avoir sur le spectateur.

Ce ne fut pas la queue que Molière coupa, mais le début de la pièce. Il renonça à une scène d'introduction et revint sur quelques passages en s'efforçant de les arranger au mieux. La première scène était nécessaire et sa suppression diminua quelque peu la pièce, mais sans en modifier l'orientation fondamentale. Il s'y trouvait apparemment des allusions au fait que Cathos et Madelon étaient parisiennes, et l'auteur voulut rassurer les censeurs en soulignant que les deux Précieuses étaient des provinciales récemment arrivées dans la capitale.

Pendant que le rusé comédien louvoyait et apprêtait

sa pièce, quelque chose d'inouï se produisait à Paris. Dans la ville même, et à des dizaines de lieues à la ronde, il n'était question que des *Précieuses ridicules.* La gloire qui frappait à la porte de monsieur Molière prit d'abord le visage d'un littérateur du nom de Somaize. Celui-ci écumait les salons en tempêtant que Molière n'était qu'un vulgaire plagiaire doublé d'un bouffon creux et superficiel. On l'écoutait et on l'approuvait.

— Il a tout pris à l'abbé de Pure ! criaient les littérateurs des ruelles.

— Mais non ! répliquaient d'autres. Il a volé la matière de cette farce aux Italiens !

La nouvelle de l'interdiction n'avait fait qu'attiser le brasier. Tout le monde voulait voir la pièce où l'on ridiculisait le meilleur monde — c'est-à-dire les habitués des salons. Alors que tout Paris en ébullition commentait la nouveauté de l'heure, le libraire de Luynes se présenta au théâtre et demanda très humblement qu'on voulût bien lui remettre une copie du manuscrit de la pièce, copie qu'il n'avait pu jusqu'alors se procurer. Bref, chacun travaillait de son côté et la subtile tactique de Molière donna finalement de bons résultats.

Il trouva des protecteurs parmi les puissants de ce monde, fit très habilement valoir qu'il était sur le point d'obtenir l'appui du roi, et quinze jours plus tard la comédie revue et corrigée fut autorisée à la représentation.

L'allégresse dans la troupe fut indescriptible, et Madeleine se contenta de glisser à l'oreille de Molière cette seule phrase :

— Doublez les prix !

Madeleine et son esprit pratique avaient raison. Le fidèle baromètre du théâtre — la caisse — se mit à la tempête. Le 2 décembre fut donnée la deuxième représentation, et la recette qui tournait en temps normal autour de quatre cents livres par soirée s'éleva cette fois à mille quatre cents livres.

Et cela continua. *Les Précieuses* passaient avec des pièces de Corneille ou de Scarron, et faisaient à chaque fois salle comble.

Le Loret dont nous avons déjà parlé écrivit dans son journal rimé que la pièce était creuse et digne d'un spectacle de foire, mais vraiment très drôle :

> Ce n'est qu'un sujet chimérique
> Mais si bouffon et si comique, [...]
> Pour moi, j'y portai trente sous,
> Mais oyant leurs fines paroles,
> J'en ris pour plus de dix pistoles.

Le libraire-éditeur Guillaume de Luynes parvint à ses fins. Il réussit par quelque moyen mystérieux à se procurer un exemplaire du manuscrit des *Précieuses* et annonça à Molière qu'il allait publier la pièce. Molière ne pouvait plus que s'incliner. Il écrivit une préface qui commençait par ces mots :

« C'est une chose étrange qu'on imprime les gens malgré eux. »

Mais il n'y avait en fait aucun inconvénient à ce que la pièce soit publiée, d'autant que la préface de l'auteur lui permettait d'exprimer quelques idées sur *Les Précieuses*.

À en croire Molière, les Précieuses n'avaient pas lieu de s'offenser de la pièce, puisqu'on n'y représentait que le ridicule de leurs imitatrices... Après tout, les plus excellentes choses sont sujettes à être copiées par de mauvais singes, *et cætera*... Par ailleurs, Molière signalait humblement qu'il s'était tenu dans les bornes de la satire honnête et permise en écrivant sa pièce.

Il est peu probable que Molière soit parvenu à convaincre quelqu'un par sa préface, et il se trouva à Paris des gens pour remarquer que la satire était effectivement honnête, comme pouvait s'en assurer toute personne normalement instruite, mais qu'il était difficile de trouver un seul homme au monde susceptible de présenter aux autorités un exemple de satire permise. D'ailleurs, laissons Molière se défendre de son mieux. Et cela lui était bien nécessaire, car il apparut très vite que la première des *Précieuses* avait attiré sur lui une attention particulièrement insistante.

Et par la suite, bon ou mal gré qu'il en ait, Monsieur de Molière fit en sorte que cette attention ne se relâchât nullement.

15. *L'énigmatique monsieur Ratabon*

Il apparut très vite que Molière était, comme on dit, dramaturge par la grâce de Dieu. Il travaillait avec une très grande rapidité et maniait le vers avec aisance. Pendant que les littérateurs des salons parisiens et les acteurs de l'Hôtel de Bourgogne s'occupaient à le dénigrer, Molière écrivit une nouvelle comédie, en vers, qui fut terminée au printemps. Le 28 mai 1660 eut lieu la première représentation. *Sganarelle, ou le Cocu imaginaire* fut joué par les époux Du Parc — qui n'avaient pu s'habituer au Marais et étaient revenus à Molière — les époux de Brie, l'Espy, Madeleine et Molière lui-même dans le rôle de Sganarelle.

L'époque était mal choisie, car le roi ne se trouvait pas à Paris et de nombreux notables l'avaient suivi. La pièce n'en suscita pas moins un vif intérêt dans le public, d'autant que sa première représentation fut marquée par un scandale.

Un bourgeois du parterre déclara publiquement à grand tapage que c'était lui que monsieur de Molière avait ridiculisé à travers le personnage de Sganarelle. Naturellement, son intervention mit le parterre en joie. Les loustics se déchaînèrent au spectacle du bourgeois qui tempêtait et menaçait d'aller porter plainte à la police contre un comédien qui s'en prenait à la vie privée des honnêtes gens. Le malentendu est ici évident : en écrivant *Sganarelle*, Molière ne pensait à aucun bourgeois en particulier mais mettait simplement en scène le type général du jaloux et du propriétaire cupide. On soupçonne que nombreux furent ceux qui se reconnurent en ce Sganarelle, mais qui furent plus avisés que le bourgeois braillard du parterre.

Ainsi, après s'être attiré grâce aux *Précieuses* quelques dizaines d'ennemis parmi les littérateurs de la ville de Paris, Molière se mettait à dos les bons bourgeois des quartiers commerçants.

Dans les salons, les conversations allaient bon train sur *Sganarelle*, mais les jugements des gens de lettres se ramenaient presque toujours à ceci :

— Une farce de rien du tout ! Une grossière comédie de situations emplie de bouffonneries triviales !

On chercha à découvrir où Molière avait bien pu voler cette comédie. Mais ces recherches ne furent couronnées d'aucun succès particulier.

Au bout de quelques représentations, Molière trouva chez lui une lettre. Un certain Neuf-Villenaine lui écrivait qu'ayant vu sa comédie *Le Cocu imaginaire*, il l'avait trouvée si admirable qu'une seule vision lui avait paru insuffisante et qu'il y était retourné six fois. Ce début fit rosir de plaisir les joues de Molière qui depuis quelque temps avait commencé à s'apercevoir que la gloire n'a pas tout à fait le visage qu'on lui prête généralement, et qu'elle se manifeste surtout par des avalanches d'injures de toutes provenances.

Il continua la lecture de cette agréable lettre. Monsieur de Neuf-Villenaine avait une mémoire véritablement phénoménale : en six fois, il avait pris note de la comédie tout entière, jusqu'au dernier mot. Arrivé à ce point de sa lecture, monsieur Molière leva les sourcils, et non sans raison : monsieur Neuf-Villenaine l'informait qu'il avait écrit des commentaires de son cru pour chacune des scènes du *Cocu*. Et la pièce allait être publiée avec ces commentaires car, comme disait leur auteur, « ... c'est absolument nécessaire à votre gloire et à la mienne ! »

« Des gens peu scrupuleux, écrivait encore monsieur Neuf-Villenaine, pourraient présenter des copies mal vérifiées de la pièce, et causer ainsi du dommage à monsieur Molière. »

Bref, monsieur Neuf-Villenaine confiait la pièce à l'éditeur Jean Ribou, sis quai des Augustins.

— Par Dieu, s'écria Molière quand il eut achevé la lecture de l'envoi du commentateur affamé de gloire, il ne peut y avoir au monde homme plus impertinent !

Quant à cela, monsieur de Molière se trompait !

L'été 1660, Molière eut enfin la possibilité d'échapper à la routine du Petit-Bourbon et de soumettre au roi ses *Précieuses*. Le 29 juillet, la pièce fut jouée près de Paris, au bois de Vincennes où le jeune roi s'était retiré pour se reposer dans le sein de la nature. Le succès fut total. En outre, il se confirma que Louis XIV aimait énormément le théâtre et la comédie en particulier, ce dont l'avisé directeur du Petit-Bourbon fit immédiatement son profit.

Puis la troupe revint à Paris et présenta son répertoire. Il devenait manifeste que les pièces de Molière battaient, tant par le nombre des représentations que par le chiffre des recettes, toutes les autres œuvres, qu'elles appartiennent au genre tragique ou comique.

Le 30 août, Molière donna *Les Précieuses* au Louvre devant le Frère Unique du roi et sa suite, et là encore le succès fut énorme. Le soleil du comédien errant montait à vue d'œil. Une carrière éclatante se profilait à l'horizon et la troupe aborda l'automne 1660 avec l'agréable pressentiment des succès à venir. Mais en octobre, quatre jours après la mort du pauvre poète satirique Scarron que la tombe avait enfin délivré des terribles attaques de la paralysie, un événement se produisit qui prit de court les acteurs : le directeur de la troupe de Monsieur, Frère Unique du roi, qui rencontrait auprès de la cour un franc succès, fut avec tous ses acteurs chassé du Petit-Bourbon.

Ce maussade vendredi 11 octobre, on vit entrer dans la salle du Petit-Bourbon monsieur Ratabon, inspecteur général des bâtiments du roi. L'air mystérieusement pénétré, Ratabon était suivi d'un architecte aux bras chargés de plans et de dessins, et l'architecte était lui-même suivi d'une cohorte d'ouvriers encombrés de pics, de pelles, de haches et de pinces. Les acteurs alarmés demandèrent à monsieur Ratabon ce que signifiait cette invasion, et monsieur Ratabon répondit sèchement et poliment qu'il était venu démolir le Petit-Bourbon.

— Comment ? s'exclamèrent les acteurs. Et où allons-nous jouer ?

À quoi monsieur Ratabon répondit poliment qu'il ne le savait pas.

Quand Molière arriva, l'affaire s'éclaircit tout à fait : Ratabon avait un projet grandiose et parfaitement au point de reconstruction du Louvre, et le bon déroulement des travaux exigeait que disparaisse de la surface terrestre non seulement le Petit-Bourbon, mais aussi l'église Saint-Germain-l'Auxerrois qui lui était attenante.

Molière sentit le sol tanguer sous ses pieds, et demanda :

— Cela signifie que nous nous retrouvons à la rue, sans avertissement ?

En guise de réponse, Ratabon haussa des épaules compatissantes et écarta les bras en signe d'impuissance.

Formellement, il était parfaitement dans son droit : il n'entrait en aucun cas dans ses attributions d'informer le directeur des comédiens des travaux de reconstruction entrepris par l'architecte du roi dans les bâtiments royaux.

Et, dans le Petit-Bourbon, les haches commencèrent à cogner et la poussière de plâtre à voler.

Le premier choc surmonté, de Molière courut chercher du secours chez le protecteur de la troupe — le frère du roi. Et le frère du roi...

Mais revenons un instant à monsieur Ratabon. Car enfin, comment pouvait-on en venir à détruire le théâtre sans un seul mot d'avertissement à la troupe de la cour ? Si l'on se refuse absolument à admettre que monsieur Ratabon ait pu, par distraction, ne pas remarquer qu'à deux pas de lui se trouvaient des acteurs qui jouaient, et qu'il y avait même eu, durant un temps, deux troupes (au moment où se place l'épisode Ratabon, la troupe italienne ne se trouvait plus à Paris et avait quitté la France), il ne reste plus qu'à conclure que c'est de propos délibéré que le surintendant Ratabon s'était dispensé de prévenir la troupe de la destruction du théâtre.

Mieux, il avait dissimulé tous les préparatifs afin que la troupe ne pût prendre aucune mesure pour sauver ses représentations. S'il en est ainsi (et c'est le cas), une question se pose : qui poussa le surintendant Ratabon à agir de la sorte ?

Hélas ! Il ne peut y avoir qu'une explication : Ratabon fut inspiré en cette affaire par le puissant parti de ceux qui détestèrent Molière et ses œuvres dès les premiers jours de son arrivée à Paris. On supposa même que Ratabon avait été acheté. Mais personne ne sait qui précisément dirigea sa main.

Le frère du roi prit très à cœur le destin de la troupe et informa aussitôt le roi de ce qui s'était passé au Petit-Bourbon. Le surintendant fut convoqué chez Sa Majesté et répondit à la question qui lui était posée sur les événements du Petit-Bourbon d'une manière aussi brève qu'exhaustive : il soumit à l'attention royale les plans des colonnades et édifices futurs.

La question se posa de la conduite à tenir avec la troupe du duc d'Orléans, qui se trouvait à la rue. Le jeune roi la trancha sur-le-champ : le roi de France pouvait-il n'avoir à Paris qu'un seul théâtre ? Qu'on donne à la troupe de monsieur de Molière le théâtre du Palais-Royal, l'ancien Palais du Cardinal.

On rapporta avec embarras au roi qu'il était impossible de jouer dans la salle du Palais-Royal et qu'il était même hasardeux d'y pénétrer, car on pouvait à tout instant recevoir sur la tête une poutre pourrie. Cela aussi fut réglé en un instant. Monsieur Ratabon reçut l'ordre de procéder, parallèlement à la démolition du Petit-Bourbon, à la réfection complète du Palais-Royal, afin que la troupe de Molière puisse y reprendre aussitôt que possible ses représentations.

Il ne restait plus à monsieur Ratabon qu'à se mettre au travail sans retard.

C'est dans la salle du Palais-Royal que le grand

cardinal et passionné de théâtre qu'était Richelieu avait en 1641 monté avec un luxe de décors et de machines inusité la pièce *Mirame* qui était en partie son œuvre. Malgré toutes les merveilles de la technique, la pièce fut un four comme il en est peu. À l'époque de l'affaire Ratabon, la salle abandonnée menaçait ruine. Les poutres étaient pourries, le plafond percé et le sol dans un tel état qu'on ne pouvait faire quelques pas sans risquer de se briser une jambe. Mais la conversation qu'il avait eue avec le roi avait vigoureusement fouetté l'énergie de Ratabon et, pendant qu'il s'occupait avec vaillance à remettre en état le Palais-Royal, Molière et sa troupe jouaient dans les palais des plus grands noms français. *Le Cocu* fut applaudi par le maréchal de la Meilleraye, le duc de Roquelaure, le duc de Mercœur et le comte de Vaillac.

Mais à cette époque, Molière eut à se produire en plus haute société. Le cardinal Jules Mazarin, tuteur du roi et premier ministre de la France, exprima, en dépit de la maladie qui le clouait dans son fauteuil, le désir de voir les nouvelles pièces dont on faisait tant de bruit, et la troupe joua dans son palais, le 26 octobre 1660, *Les Précieuses* et *Le Cocu*. Le cardinal fut satisfait, mais s'amusa moins qu'un jeune homme qui se cachait modestement derrière le dossier de son fauteuil et que tous les nobles présents faisaient mine de ne pas remarquer, en dépit des regards incessants qu'ils lui jetaient.

Loret a écrit dans son journal *La Muse historique* ces mots quelque peu sibyllins : « Les deux pièces plurent extraordinairement, non seulement à Jules, mais à d'autres Grands Personnages. » Les deux derniers mots étaient écrits avec des majuscules. Plus loin,

Loret rapporte que Son Éminence le cardinal ordonna que l'on comptât pour encourager la troupe,

> À Molière et ses compagnons
> Deux mille écus mignons.

Les majuscules de l'œuvre de Loret sont compréhensibles : celui qui se cachait derrière le fauteuil du cardinal n'était autre que le roi qui avait pour une raison ou pour une autre jugé bon de se rendre incognito à cette représentation.

Molière ne tarda pas à mettre à profit son succès à la cour et obtint l'autorisation d'emporter du Petit-Bourbon non seulement l'ameublement des loges d'acteurs, mais aussi deux galeries de loges complètes. Comme on sait, l'appétit vient en mangeant, et le directeur voulut déménager les décors et les machines du Petit-Bourbon, mais là il échoua. Le fameux machiniste de théâtre italien Vigarani, qui était venu remplacer à Paris le non moins fameux Torelli déclara que les machines lui étaient nécessaires pour les ballets royaux aux Tuileries. Il y eut une guerre dont Vigarani sortit vainqueur. Les machines lui restèrent, et l'Italien accomplit un premier prodige, qui n'était pas conforme à ceux que la cour attendait de lui : il brûla jusqu'à la dernière les machines qu'il avait conquises de haute lutte, ainsi que les décors. Tous furent étonnés, tous sauf un : Charles La Grange. Le secrétaire-trésorier entièrement dévoué à son théâtre, disait à Molière, d'un ton fâché :

— Savez-vous, maître, ce Vigarani est un véritable pendard ! Il a brûlé les décors et les machines, pour que tout le monde oublie les travaux de Torelli !

À quoi Molière répondit :

— Je vois que c'est un véritable homme de théâtre, ce Vigarani.

Et Vigarani était un homme de théâtre au plein sens du terme, en ce sens qu'il n'admettait pas de concurrents — ce qui ne l'empêchait pas d'être un machiniste de premier ordre.

Au cours de sa tournée forcée dans les palais de la noblesse, Molière passa par une pénible épreuve. Profitant de ce que le directeur était momentanément sans théâtre, l'Hôtel de Bourgogne et le Marais tentèrent de racoler ses acteurs. Ils firent aux comédiens des ponts d'or et affirmèrent que l'aventure de Molière était terminée, et qu'elle ne ressusciterait pas au Palais-Royal.

Molière en fut durement secoué. Il pâlit, se mit à tousser et à maigrir, à loucher vers ses acteurs, à leur jeter des regards pitoyables et angoissés qui disaient : trahiront ou pas ? Cet état n'échappa pas à la troupe qui se présenta un jour à Molière sous la conduite de Charles La Grange pour lui faire savoir que, étant donné qu'il joignait à d'exceptionnelles capacités un abord très fréquentable, la troupe le priait de ne pas s'inquiéter : les acteurs n'iraient pas chercher ailleurs leur bonheur, quelque avantageuses que soient les propositions qu'on leur ferait.

Monsieur de Molière voulut répondre quelque chose d'éloquent, comme il savait si bien le faire, mais, emporté par l'émotion, ne trouva absolument rien à dire et, après avoir serré les mains de tous, s'en fut réfléchir en tête à tête avec lui-même.

16. *Triste histoire d'un prince jaloux*

« *Ne forçons point notre talent !* »

La Fontaine.

La grosse erreur que monsieur Molière commit à cette époque de sa vie fut la suivante : il prêta l'oreille au mal qu'on disait de lui et fut blessé par des affronts qui n'auraient pas dû retenir son attention. Dès les premiers jours de représentation de ses comédies ou des petites farces qu'il donnait avec les pièces du grand répertoire, les gens de lettres parisiens clamaient d'une seule voix que Molière n'était qu'un vulgaire bouffon, incapable de s'élever au traitement de sujets sérieux. Et ces personnages se comptaient par dizaines. Il y avait bien pour leur résister quelques individus, dont le célèbre et très talentueux fabuliste La Fontaine, qui devint avec le temps le meilleur ami de Molière. Après les premières représentations de Molière, La Fontaine s'était écrié : « Voilà un homme à mon goût ! », et avait parlé de la maîtrise avec laquelle Molière suivait la nature et la vérité dans ses œuvres.

Mais au lieu de prêter attention aux paroles de La

Fontaine, Molière écoutait une autre race de gens. En conséquence, il forma le projet de démontrer à la face du monde qu'il était capable de traiter le thème éternel de la jalousie, qu'il avait pris sur le mode comique dans *Sganarelle*, d'une manière sérieuse, en prenant cette fois ses héros dans la plus haute société. Et tout en travaillant à *Sganarelle*, il parvint à écrire une comédie héroïque intitulée *Dom Garcie de Navarre, ou le Prince jaloux*.

Entre-temps, le surintendant acheva la remise en état du Palais-Royal. Tout fut très bien arrangé et, sous le plafond, on tendit une immense toile bleue qui répondait à deux préoccupations : présenter aux regards charmés des spectateurs un ciel artificiel et empêcher l'eau de tomber sur ces mêmes spectateurs car, en dépit des efforts de Ratabon, le plafond continuait à fuir.

Le 20 janvier 1661, la troupe de Molière entra au Palais-Royal, bientôt suivie par la troupe italienne qui était revenue à Paris. On recommença le partage des jours, mais cette fois ce furent les Italiens qui donnèrent de l'argent à Molière pour le dédommager des dépenses qu'il avait dû engager pour les réparations. (Dépenses inévitables car l'argent que l'État avait affecté aux travaux n'avait pas suffi.)

Le Palais-Royal était inondé de lumière, et les sourdes craintes que nourrissaient les comédiens quant aux possibilités de résurrection de l'entreprise se dissipèrent d'un coup. Le public fit un accueil enthousiaste aux pièces de Molière, qui prouvèrent définitivement leur supériorité sur celles de tous les autres auteurs.

Il semblait que tout allait pour le mieux quand, le 4 février, *Le Prince jaloux* fit son entrée sur la scène. On avait dépensé beaucoup d'argent pour monter somptueusement cette pièce aristocratique, et le directeur en personne, manifestement oublieux des pluies de pommes de naguère, jouait le prince dans toute sa splendeur.

Le public, qui attendait avec intérêt la nouvelle production de monsieur Molière, écouta d'une oreille bienveillante le premier monologue d'Elvire, qu'interprétait Marquise-Thérèse Du Parc. Don Garcie entra en scène et entama de grandioses monologues sur les périls glorieux, l'éclat des yeux de Donna Elvire et autres objets sublimes. Ces monologues étaient si longs que le public disposait de tout son temps pour les mettre à profit en regardant le ciel bleu et les loges dorées du Palais-Royal. Molière jouait, mais un vague malaise le tenaillait : la caisse avait fait six cents livres, et la salle était loin d'être pleine. Le public attendait en s'ennuyant ce que la suite allait apporter d'intéressant. Mais je dois avouer, à ma grande consternation, que rien d'intéressant ne se produisit, et que les lumières s'éteignirent sur un prince jaloux dont la sortie fut saluée par de maigres applaudissements.

Tout dramaturge d'expérience sait que pour déterminer si une pièce a ou non du succès auprès du public, il est inutile de lire les comptes rendus des critiques et de presser de questions ses amis en leur demandant si la pièce est bonne ou mauvaise. Il y a un moyen plus simple : il suffit d'aller à la caisse et de demander quelle est la recette. C'est ce que fit Molière, qui découvrit qu'à la deuxième représentation la caisse avait donné cinq cents livres, à la troisième cent soixante-huit, et quatre cent vingt-six à la quatrième. Molière adjoignit alors à *Dom Garcie* le triomphant *Cocu*, et récolta sept cent vingt livres. Mais ensuite *Le*

Cocu lui-même ne fut d'aucun secours, et la recette redescendit à quatre cents livres. Enfin vint le funeste chiffre sept, et la date fatidique du 17 février.

Le jeudi 17 février, à sa septième représentation, *Dom Garcie* fit soixante-dix livres. Les derniers doutes du directeur s'évanouirent alors : sa pièce et lui-même dans le rôle de Garcie étaient définitivement et irrémédiablement condamnés. Il était d'ailleurs si mauvais dans le rôle du prince qu'avant même cette septième représentation il avait pensé à se faire remplacer par un autre acteur.

Le four fut suivi des manifestations que connaît bien tout dramaturge qui s'est trouvé dans ce cas : joie sauvage des ennemis, sympathie humide des amis — bien pire que la joie des ennemis —, rires derrière le dos, déclarations funèbres sur le tarissement de l'inspiration de l'auteur et couplets ironiques improvisés.

Molière but jusqu'à la lie cette coupe, qui le récompensait de son envolée dans les hautes sphères de la société et de sa pièce fastidieuse et froide.

— Ces bourgeois ne comprennent rien à l'art ! grondait avec une totale injustice le directeur pendant qu'il dépouillait son accoutrement princier pour redevenir celui qu'il devait être, Jean-Baptiste Poquelin. Il finit par menacer, entre deux quintes de toux, de retirer *Dom Garcie* du Palais-Royal pour aller le monter à la cour. Son raisonnement était évidemment le suivant : qui pouvait s'intéresser davantage aux affres du prince sinon les princes eux-mêmes ?

Il mit sa menace à exécution un an plus tard en présentant *Dom Garcie* à la cour. Son échec fut aussi cuisant qu'au Palais-Royal. Alors, serrant les dents, le directeur décida de prendre les quelques vers de *Dom*

Garcie qui étaient un peu moins mauvais que les autres pour les replacer dans d'autres pièces, afin de ne pas gâcher de la marchandise, et de cet instant ne supporta pas qu'on fît devant lui allusion au *Prince jaloux*.

17. *Mort d'un prince jaloux*

Le début de l'année 1661 fut marqué par un grand événement. Le cardinal Mazarin mourut le 9 mars, et le lendemain le roi de vingt-trois ans abasourdissait complètement ses ministres.

— Je vous ai fait venir, messieurs, proféra sans ciller le jeune roi en fixant les ministres, pour vous dire que le temps est venu pour moi de diriger réellement l'État. Vous m'aiderez de vos conseils, mais uniquement quand je vous le demanderai. J'interdis dorénavant que l'on signe sans mon ordre le moindre papier, fût-ce le plus insignifiant passeport. Vous me rendrez compte chaque jour personnellement de votre travail.

Les ministres, et toute la France avec eux, comprirent immédiatement quel homme était monté sur le trône. Molière le comprit aussi très bien et sut aussitôt à qui il lui faudrait s'adresser dans un cas extrême.

Et des cas extrêmes pouvaient très bien se présenter, comme l'avait suffisamment montré l'épisode des *Précieuses*.

Au printemps de cette année, Molière acheva sa nouvelle comédie, intitulée *L'École des maris*. Le sujet de la pièce était la passion triomphante de deux jeunes êtres, la passion qui vainc tous les obstacles que lui opposent la vieillesse brutale et despotique.

La comédie avec des lanternes et un mariage devant notaire au final fut jouée pour la première fois en juin. Molière jouait le rôle de Sganarelle, et l'amant Valère était interprété par La Grange. Le succès fut total, le public pardonna, oublia *Dom Garcie*, et *L'École* fut représentée cinquante-huit fois au cours de la saison, c'est-à-dire plus qu'aucune autre pièce pour la période considérée.

Un soir, le directeur de la troupe se trouvait à sa table de travail. Devant lui, un exemplaire de *L'École* prêt pour l'impression. Molière écrivait une dédicace à son protecteur, le frère du roi :

« Monseigneur ! Je fais voir ici à la France des choses bien peu proportionnées. Il n'est rien de si grand et de si superbe que le nom que je mets à la tête de ce livre, et rien de plus bas que ce qu'il contient... »

À cet instant Molière posa sa plume, dégagea les mèches des bougies, toussota et pensa : « Pourquoi donc, au fond, est-ce que je parle ainsi de ma comédie ? » Il soupira, se lissa un sourcil avec l'extrémité de sa plume d'oie, fit une grimace, et se remit à écrire. Les lettres larges et grasses formaient les mots :

« Tout le monde trouvera cet assemblage étrange ; et quelques-uns pourront bien dire, pour en exprimer l'inégalité, que c'est poser une couronne de perles et de diamants sur une statue de terre, et faire entrer par des portiques magnifiques et des arcs triomphaux superbes dans une méchante cabane... »

— Encore un peu de pommade? marmonna le dramaturge. Après tout, ça ira.

« J'ai donc osé, Monseigneur, dédier une bagatelle à Votre Altesse... »

Et il signa :

« Le très humble, très obéissant et très fidèle serviteur, Jean-Baptiste Poquelin Molière. »

— Comme ça, c'est bien, dit avec satisfaction le très humble qui, dans le feu de la flatterie, ne s'était pas rendu compte que l'image de la statue de terre sur laquelle on pose une couronne de perles rendait un son étrangement équivoque. Car enfin en vertu de quoi la comédie devait-elle être la statue, et la couronne le nom du duc d'Orléans ?

Quoi qu'il en soit, la dédicace fut adressée au duc qui lui fit un accueil bienveillant et la troupe commença à préparer les importants événements de l'été.

L'histoire de l'humanité a connu un certain nombre de dilapidateurs des fonds de l'État. Mais l'un des plus remarquables fut sans conteste Nicolas Fouquet, vicomte de Melun et de Vaux, marquis de Belle-Isle, qui occupait à l'époque que nous considérons le poste de Directeur général des Finances de la France. Peu nombreux sont ceux qui parvinrent à organiser aussi bien que Fouquet le sac des deniers publics : si l'on en croit les mauvaises langues — et il faut les croire — Fouquet avait fini par perdre complètement le sens de la limite entre les biens publics et les siens propres. Il est impossible de décrire ce qui se passait au ministère des Finances sous Fouquet : ordres de paiements émis sur des fonds déjà dépensés, falsification des comptes, pots-de-vin...

Fouquet n'avait rien d'un sordide grigou : c'était au contraire un dilapidateur élégant et de grand style. Il changeait fréquemment de maîtresse, donnait des banquets, s'entourait des meilleurs artistes, penseurs et musiciens — au nombre desquels figurèrent Molière et La Fontaine. L'architecte Le Vau construisit pour le talentueux ministre dans son domaine de Vaux un château qui étonna les Français — pourtant difficiles à étonner en ce siècle de splendeur. Les salles furent décorées par les célèbres peintres Lebrun et Mignard, les jardiniers tracèrent des parcs et des jardins avec des fontaines qui donnaient à ceux qui les visitaient le sentiment de se trouver au paradis. Cela ne suffisait pas à Fouquet qui, comme mû par un vague pressentiment des événements futurs, acheta l'île de Belle-Isle à proximité des côtes de Bretagne et y fit bâtir une forteresse dans laquelle il plaça une garnison.

Quoi qu'il en soit, à l'époque où *L'École des Maris* commença à faire du bruit, le ministre Fouquet avait déjà droit au titre de maître des destinées.

Le maître des destinées décida d'organiser dans son domaine de Vaux des festivités en l'honneur du roi. Quand Fouquet faisait quelque chose, il le faisait bien. En attendant ses illustres invités, il fit construire un théâtre dans un bois d'épicéas, commanda une énorme quantité de provisions, engagea les meilleurs artificiers et machinistes de théâtre.

Malheureusement, les maîtres des destinées peuvent disposer de tous les destins, à l'exception du leur, et Fouquet ne savait pas qu'en ce moment le roi vérifiait avec un financier du nom de Colbert les feuilles du ministère des Finances. Cette vérification était urgente et secrète : en mourant, le cardinal Mazarin avait conseillé au jeune roi de prendre Fouquet en faute avec l'aide du grand spécialiste qu'était Colbert. Le roi, qui était jeune mais intelligent et froid, regardait tranquillement Colbert qui analysait minutieusement les états du ministère et montrait les bordereaux falsifiés à côté de ceux qui étaient authentiques.

Emporté par son destin, Fouquet prêta la main à sa propre perte en faisant inscrire au fronton de son château la devise latine *Quo non ascendam ? (Jusqu'où ne monterai-je pas ?)*

Et le 15 août à midi, le roi Louis XIV accompagné de son frère, sa femme, la princesse Henriette et la reine d'Angleterre, arriva au château. Des témoins rapportent que le visage immuablement figé du roi parut tressaillir imperceptiblement quand Louis leva les yeux et aperçut la devise de Fouquet ; mais l'instant suivant, la face royale avait repris son impassibilité naturelle. Les festivités s'ouvrirent sur un petit déjeuner de cinq cents personnes qui fut suivi de représentations théâtrales, ballets, bals masqués et feux d'artifice. Mais je m'intéresse moins aux petits déjeuners et aux feux d'artifice qu'à la question de savoir comment Molière parvint, en quinze jours, à écrire, apprendre et mettre en scène une pièce en vers que lui avait commandée Fouquet et qu'il intitula *Les Fâcheux.* Pourtant c'est ainsi : la pièce fut représentée le 17 août.

Apparemment, à cette date Molière avait parfaitement compris les goûts du roi de France. Celui-ci aima beaucoup la comédie, et encore plus le ballet, car *Les Fâcheux* étaient une comédie-ballet. Il ne s'agissait pas à proprement parler d'une pièce, mais d'une suite de portraits-charges de types de la haute société mis bou' à bout et que rien ne reliait entre eux.

On se pose alors la question : où Molière prit-il l'audace de donner en spectacle au roi ses propres courtisans, vus sous un jour aussi ironique ?

En fait, Molière avait très justement calculé. Le roi avait une attitude pour le moins abrupte à l'égard de la haute noblesse et ne se considérait nullement comme le premier de ses courtisans. Louis pensait tenir son pouvoir de Dieu et se considérait comme différent, incommensurablement au-dessus des autres hommes qui vivaient sur terre. Il se trouvait quelque part dans le ciel, pas très loin de Dieu, et sourcillait à la moindre tentative que faisait un quelconque de ses grands seigneurs pour s'élever un peu plus qu'il n'était convenable pour lui de le faire. Bref, Fouquet eût été mieux inspiré en se tranchant la gorge avec son propre rasoir qu'en inscrivant une devise comme celle qu'il avait fait graver. Je le répète, Louis se souvenait de l'époque de la Fronde et tenait la haute noblesse dans ses mains de fer. On pouvait devant lui se moquer de la cour.

Donc, le rideau s'ouvrit dans les jardins de Vaux. Sans maquillage de scène, en habit de ville, visiblement ému, Molière parut devant les hôtes du ministre. En saluant nerveusement, il s'excusa de n'avoir pu, par manque de temps, préparer un divertissement digne du grand monarque. Mais le plus grand orateur de théâtre de Paris n'eut pas le temps d'achever son discours : sur la scène, un rocher se fendit et au milieu d'une cataracte d'eau (voilà quel machiniste était Vigarani !) parut une naïade. Personne n'aurait pu dire que cette ravissante déesse avait quarante-trois ans ! De l'avis général, Madeleine était adorable dans ce rôle. Elle prononça les premiers mots du prologue :

Pour voir en ces beaux lieux le plus grand roi du monde,
Mortels, je viens à vous de ma grotte profonde.

Et ce n'est que quand elle eut prononcé le dernier mot du prologue que les hautbois de l'orchestre éclatèrent et que la comédie-ballet commença.

À la fin de la représentation, le roi fit signe à Molière d'approcher et, lui montrant le grand chasseur Soyecourt, lui chuchota avec un sourire :

— Voilà un grand original que vous n'avez pas encore copié...

Molière se prit la tête entre les mains, et répondit en riant :

— Le don d'observation de Votre Majesté... Comment ai-je pu laisser passer un tel type ?...

En une nuit, il écrivit une nouvelle scène pour la comédie où il introduisit l'enragé chasseur de cerfs Dorante, toqué des chevaux du célèbre maquignon de l'époque Gaveau et des exploits du fameux piqueur Drécar. Et toute l'assistance prit une joie mauvaise à reconnaître en Dorante le pauvre maître de chasse.

À la faveur de cet incident, Molière écrivit au roi une épître dans laquelle il sut placer beaucoup de belles phrases. Il lui disait, premièrement, que lui, Molière, se comptait au nombre des fâcheux, deuxièmement, qu'il ne devait qu'au roi le succès de sa comédie, puisqu'il suffisait que le roi l'applaudisse pour que tout le monde en fasse de même, troisièmement, que la scène avec le chasseur, que Sa Majesté avait fait introduire dans la comédie, était sans le moindre doute la meilleure de toutes et que d'une manière générale aucune autre scène dans aucune autre de ses comédies ne lui avait été aussi agréable à écrire.

Pendant que le dramaturge amendait son œuvre,

dans le parc de Vaux commençait une autre pièce, qui n'était pas une comédie mais un drame.

Un jour où le roi effectuait une promenade dans une allée, la personne qui l'accompagnait ramassa une lettre qui traînait dans le sable. Le roi manifesta de l'intérêt pour la lettre, qui lui fut montrée. Las ! C'était une tendre missive adressée par Fouquet à une certaine Mademoiselle de La Vallière. Il est à parier que si le ministre avait pu voir à cet instant l'expression du regard de Louis, il aurait sur-le-champ quitté la France à bride abattue, en plantant là ses hôtes et n'emportant avec lui qu'une bourse pleine d'or et une paire de pistolets. Car la discrète La Vallière était, comme on sait, la concubine du roi.

Mais Louis se signalait déjà dans sa jeunesse par une colossale maîtrise de soi, ce qui explique que Nicolas Fouquet passa un heureux mois d'août. Le roi gagna Fontainebleau puis, au début de septembre, partit pour Nantes où se tenait le conseil royal.

Quand celui-ci se termina, Fouquet qui en sortait, fatigué, sentit qu'on lui touchait le coude. Le ministre tressaillit et se retourna. Devant lui se tenait un capitaine des mousquetaires.

— Vous êtes arrêté, dit doucement le capitaine.

Sur ces trois mots se termina la vie de Fouquet. Ensuite commença son existence végétative, à la prison de Vincennes d'abord, puis à la Bastille. L'instruction de ses rapines dura trois ans et l'homme qui passa en jugement n'était plus le brillant ministre, mais un détenu hirsute et tremblant. Il reconnut parmi ses juges ses pires ennemis, qui avaient été placés là par le roi lui-même. Neuf juges réclamèrent pour Nicolas Fouquet la peine capitale, treize autres furent plus humains et condamnèrent Fouquet à l'exil à vie, mais le roi jugea cette condamnation trop douce et remplaça l'exil par la prison à vie.

Fouquet demeura en prison quinze années pendant lesquelles on ne lui donna pas une seule fois la possibilité de faire une promenade, de lire, d'écrire ou de voir sa femme et ses enfants. Finalement, en 1680 (le cœur du roi avait-il oublié l'image de l'humble La Vallière, évincée depuis par d'autres femmes, son esprit avait-il perdu le souvenir de la devise placée sur le fronton?), Louis signa le décret de libération de Fouquet. Mais cette disposition resta lettre morte : Fouquet n'avait pas attendu la clémence royale et était déjà sorti de prison pour aller là où, comme il l'espérait sans doute, un autre juge jugerait à la fois le ministre malhonnête, le roi vindicatif — et surtout l'inconnu qui avait jeté la lettre dans le sable.

Je voudrais ajouter encore une chose. Dans la préface des *Fâcheux*, publiée après la perte et l'arrestation de Fouquet, Molière ne craignit pas de signaler que les vers du prologue appartenaient à monsieur Pellisson, qui avait été le secrétaire et le meilleur ami de Fouquet.

Paul Pellisson eut une conduite non moins courageuse en rédigeant pour justifier Fouquet trois volumes qu'il intitula *Discours*, montrant ainsi qu'il ne trahissait pas ses amis, quels qu'ils fussent. Le roi lut avec beaucoup d'attention l'œuvre de Pellisson et se conduisit avec modération à son égard : il ne l'embastilla que pour cinq ans.

18. *Qui est-elle ?*

« Géronimo : *Bon parti ! Mariez-vous prompte-ment !* »

Le Mariage forcé.

Le 20 février 1662, dans cette église Saint-Germain-l'Auxerrois que monsieur Ratabon n'était pas encore parvenu à détruire, un mariage était célébré.

Devant l'autel se tenait, un peu voûté, secoué par une toux intermittente, le directeur de la troupe du Palais-Royal, Jean-Baptiste Molière. À côté de lui, une jeune fille d'une vingtaine d'années, assez laide avec sa bouche trop grande et ses petits yeux, mais très attirante et coquette. La jeune fille était habillée à la dernière mode et se tenait droite, la tête fièrement rejetée en arrière. Les orgues tonitruaient au-dessus de leurs têtes, mais le fiancé, tout à la passion qui le dévorait, n'entendait pas plus les cataractes sonores de l'instrument que le latin familier. Un peu en arrière des futurs époux se trouvaient les acteurs du Palais-Royal et un groupe de parents au milieu duquel on pouvait reconnaître, vieux et blanchi, le tapissier du roi Jean-Baptiste Poquelin, la mère des Béjart —

Madame Hervé-Béjart, — Madeleine, un air étrange sur son visage comme pétrifié, et le jeune Louis Béjart.

Molière, frappé d'une passion dévorante, a enfin atteint son but : mademoiselle Menou, alias Armande Béjart, se trouve maintenant à son côté devant l'autel.

Le contrat de mariage dit que la fiancée est mademoiselle Armande-Grésinde-Claire-Élisabeth Béjart, fille de madame Marie Béjart, née Hervé, et de son défunt époux, sieur de Belleville. La fiancée a vingt ans, ou à peu près.

Mais nous, qui connaissons bien toute la famille de feu Béjart-Belleville et de son épouse Marie Hervé-Béjart, c'est-à-dire le fils aîné Joseph, les filles Madeleine et Geneviève et le fils cadet Louis, voudrions bien faire plus ample connaissance avec cette dernière-née Armande, qui va devenir la femme de Molière.

Puisque le contrat de mariage, établi en janvier 1662, dit que la fiancée a une vingtaine d'années, il faut donc chercher les traces de sa naissance en 1642 ou 1643. Et ces traces existent. Un acte daté du 10 mars 1643 indique que madame Marie Hervé a refusé la succession de son défunt mari Béjart-Belleville, parce qu'elle était grevée de dettes. L'acte énumère tous les enfants de Marie Hervé, c'est-à-dire Joseph, Madeleine, Geneviève et Louis, ainsi qu'une fillette « non encore baptisée » — donc un nouveau-né. C'est naturellement cette Armande qui se trouve maintenant devant l'autel. Tout concorde. Elle a environ vingt ans, et elle est la fille de Marie Hervé. Tout serait donc parfait ainsi, s'il n'y avait encore un détail. Dans l'acte de renoncement, les enfants de Marie Hervé sont à plusieurs reprises obstinément qualifiés de « mineurs ». Nous ne pouvons que nous étonner devant le fonctionnaire civil qui a rédigé l'acte, ainsi que devant les honorables témoins qui étaient présents, parmi lesquels on trouve deux procureurs, un maître-charron et un tailleur. Car en 1643, Joseph Béjart, le fils aîné, avait vingt-six ans, et Madeleine environ vingt-cinq! Ni Madeleine, ni Joseph ne pouvaient jamais passer pour mineurs nulle part, sous aucune législation!

Ce que cela signifie? Que l'acte de 1643 contient des renseignements mensongers, et n'a donc absolument aucune valeur. Et dans ce cas, un épais voile de suspicion retombe sur cette mystérieuse fillette non encore baptisée.

Madame Marie Hervé est née en 1590. Il en découle qu'elle a mis au monde cette fillette vers la cinquante-troisième année de sa vie, après une interruption de treize ans, puisque Louis est né en 1630 et qu'aucune information ne fait état d'enfants nés depuis lors. Est-ce possible? Sans doute, mais peu vraisemblable. Mais ce qui est complètement impossible, c'est qu'aucun des proches amis et des nombreuses connaissances des Béjart n'ait jamais fait nulle part allusion au fait que la mère de famille d'un âge déjà avancé ait donné un enfant à son mari mourant. Il n'est nulle part fait mention d'un enfant de Marie Hervé dans cette période de temps, si ce n'est dans l'acte de 1643.

Et où aurait-on pu l'enregistrer? Où est-il né? On ne sait pas. Effectivement cet hiver-là, au début de l'année 1643, les Béjart s'absentèrent pour un temps de la ville. Ce voyage coïncide précisément avec l'époque de la naissance de l'enfant. Mais pourquoi Marie Hervé a-t-elle éprouvé le besoin de s'éloigner de Paris pour mettre au monde un enfant dans des circonstances que l'on peut vraiment qualifier de mystérieuses?

Où l'enfant a-t-il été baptisé ? On l'ignore. On n'est pas parvenu à découvrir son acte de baptême à Paris. La fillette a donc été baptisée hors de Paris, peut-être dans la proche banlieue, peut-être quelque part en province. Pourquoi la fillette a-t-elle été aussitôt après sa naissance emmenée ailleurs, confiée à des personnes étrangères et non élevée à la maison, comme l'avaient été les enfants précédents ?

Quelle conclusion suggère alors tout cet ensemble de circonstances ? Une chose très simple et très regrettable : Marie Hervé n'a pas eu de fille en 1643, et a menti dans l'acte daté de cette même année en s'attribuant un enfant qui n'était pas le sien. Mais quel a pu être le motif de cet acte ?

Étant donné qu'il n'y aurait pas grand sens à s'attribuer un enfant totalement étranger, on est tout naturellement enclin à penser que la mystérieuse fillette était le fruit de l'une des filles non mariées de Marie Hervé.

On comprend alors les raisons du mystérieux départ de Paris, pourquoi l'enfant a été caché, pourquoi il n'a pas été élevé dans la famille ! Mais qui était la mère : Geneviève ou Madeleine ? On ne trouve nulle part aucune allusion à la maternité possible de Geneviève ; en revanche, tout le monde a toujours été convaincu qu'Armande était la fille de Madeleine, et personne n'a jamais attribué cet enfant à Marie Hervé. Et sans la découverte du contrat de mariage où Armande-Grésinde-Claire-Élisabeth est désignée comme la fille de Marie Hervé — découverte qui a brouillé toutes les cartes —, personne n'aurait jamais mentionné le nom de Marie Hervé.

On trouve dans les mémoires du littérateur bien connu Brossette : « Despréaux m'a dit que Molière était à l'origine amoureux de la comédienne Béjart, dont il a épousé la fille. »

L'auteur anonyme d'une pasquinade intitulée *La Fameuse comédienne* (il s'agit d'Armande Béjart-Molière) écrivait : « Elle était la fille de la défunte Béjart — une comédienne qui avait eu énormément de succès auprès des jeunes gens dans le Languedoc à l'époque de l'heureuse naissance de sa fille. »

Bref, de nombreuses personnes écrivirent après la mort de Molière, et, de son vivant, dirent qu'Armande était la fille de Madeleine. Mais à côté de ces témoignages écrits et oraux existent de nombreux indices qui prouvent indirectement que Madeleine était la mère d'Armande.

Quand Molière épousa Armande, il reçut de Marie Hervé, à ce qu'indique le contrat de mariage, dix mille livres qui constituaient la dot d'Armande. Mais après le mensonge de l'acte de 1643, rien ne nous oblige à ajouter foi à cela. Marie Hervé n'avait et ne pouvait avoir dix mille livres. Il apparut par la suite que la dot d'Armande avait été fournie par Madeleine, qui était la seule personne solvable de la famille. Mais, dira-t-on, qu'y a-t-il d'étonnant à ce que Madeleine se montre généreuse envers sa sœur ? Rien, sans doute, sinon que les munificences de Madeleine étaient très inégalement partagées. Quand, deux ans après, Geneviève se maria à son tour, elle reçut pour sa dot cinq cents livres en espèces et environ trois mille cinq cents en linge et mobilier.

À sa mort, Madeleine laissa à Geneviève et au boiteux Louis une petite rente viagère, tandis qu'Armande héritait de trente mille livres.

Quand mademoiselle Menou surgit un jour du néant, dans le sud de la France, Madeleine l'entoura d'une sollicitude qui parut à tous les témoins excéder de beaucoup l'affection d'une grande sœur pour sa cadette. Seule une mère pouvait prendre un tel soin d'un enfant. Précisons ici qu'il ne fait aucun doute qu'Armande et Menou étaient une seule et même personne : dans le cas contraire, nous aurions été informés de la mort de Menou — et en outre l'apparition d'Armande à Paris serait parfaitement inexplicable

Que conclure de tout cela ?

Une seule chose : l'Armande que Molière a épousée en 1662 et que les documents désignent comme la fille de Marie Hervé était la fille de Madeleine Béjart, première femme illégitime du comédien.

Mais qui était alors le père d'Armande ? On pensa d'abord à Esprit de Rémond de Moirmoiron, sieur de Modène, dont nous savons qu'il fut le premier amant de Madeleine et le père de son premier enfant, Françoise. Mais il apparut très vite que ce soupçon ne reposait sur rien. De nombreux indices prouvent que Madeleine envisagea un temps très sérieusement de légitimer sa liaison avec Modène ; elle ne fit aucun effort pour cacher que l'enfant était de celui-ci, et l'événement fut même consigné dans un acte officiel. La naissance d'un second enfant dû à de Modène, en resserrant encore le lien entre celui-ci et Madeleine, serait allée tout à fait dans le sens des projets matrimoniaux de la comédienne. Elle n'avait absolument aucune raison de cacher cet enfant et de l'attribuer à sa mère. Mais nous nous trouvons pourtant en face de cette situation paradoxale : Madeleine cacha le bébé à de Modène.

En 1641, le chevalier de Modène entra avec Louis de Bourbon, le comte de Soissons et le duc de Guise dans une conspiration dirigée contre Richelieu, et fut blessé le 6 juillet 1641 à la bataille de Marfée. En septembre de cette même année, le parlement de Paris le condamna à mort et Modène se réfugia d'abord en Belgique, puis en France même où il fit tout ce qu'il put pour éviter Paris. Cela dura jusqu'en 1643, année où, à la suite de la mort de Louis XIII et de Richelieu, Modène fut amnistié et autorisé à regagner la capitale.

Il faut noter que la famille Béjart, qui craignait des représailles du gouvernement en raison de la relation qu'elle avait entretenue avec Modène, quitta également Paris ; mais ses déplacements ne la conduisirent jamais dans les endroits où se trouvait Rémond de Moirmoiron. En revenant à Paris après deux années d'absence, Modène aurait donc trouvé Madeleine avec un bébé qui ne pouvait être de lui, ce qui n'était pas de nature à consolider la liaison du prince et de la comédienne.

Modène ne pouvait en aucun cas être le père d'Armande. Le père fut donc un autre cavalier que Madeleine eut l'occasion de connaître au cours de l'été 1642, alors qu'elle se trouvait dans le sud de la France. Madeleine a pu faire à cette époque de nombreuses rencontres, et avoir des relations intimes avec l'une d'elles. Mais le malheur est qu'elle a, entre autres, fait la connaissance — nous le savons de manière sûre — de Jean-Baptiste Poquelin, valet de chambre et tapissier royal, qui se trouvait dans la suite du roi Louis. Cela se passait aux eaux de Montfrin où Louis XIII faisait une cure, dans la deuxième moitié de juin 1642.

Cette rencontre de Montfrin et les relations indubitables que Molière y eut avec Madeleine furent la cause des bruits abominables qui coururent par la suite.

L'auteur de *La Fameuse Comédienne* écrivit : « Elle (Armande) était considérée comme la fille de Molière, bien qu'il eût par la suite été son mari... »

Quand, quelques années après la mort de Molière, Armande fut appelée à témoigner pour une affaire qui ne la concernait pas directement, l'avocat d'une des parties tenta de répudier son témoignage en affirmant brutalement en plein tribunal qu'elle était la femme et la veuve de son propre père.

On a fait grand cas d'une lettre écrite par Chapelle à Molière en 1659, lettre dans laquelle se trouvent ces lignes mystérieuses : « ... Vous ne montrerez ces beaux vers qu'à mademoiselle Menou, d'autant qu'ils vous représentent elle et vous... »

Certaines informations donnent à penser que le mariage d'Armande ne s'accomplit qu'après que des scènes aussi violentes que pénibles entre Molière et Madeleine d'une part et entre Armande et Madeleine de l'autre eurent rendu la vie de ces trois personnes si insupportable qu'Armande fut quasiment contrainte de se réfugier dans la maison de son futur mari.

Les documents officiels indiquent que Geneviève Béjart n'assista pas à la conclusion du contrat de mariage, pas plus qu'à la cérémonie religieuse, et beaucoup la soupçonnent d'avoir ainsi voulu protester contre cette épouvantable union.

Bref, la vie de Molière a été empoisonnée par des rumeurs propagées de toutes parts l'accusant d'avoir accompli l'inceste le plus abominable, d'avoir épousé sa propre fille.

Que peut-on dire de cette ténébreuse affaire encombrée d'actes apocryphes, de preuves indirectes, de suppositions, de renseignements douteux ? Voici ma conclusion. Je suis certain qu'Armande était la fille de

Madeleine, née en un lieu inconnu d'un père inconnu. Rien ne prouve de manière certaine la vérité des bruits d'inceste qui ont circulé, rien ne prouve que Molière ait épousé sa fille. Mais rien ne permet non plus de rejeter totalement cette terrible rumeur.

Le voilà donc, mon héros, devant l'autel à côté d'une jeune fille deux fois plus jeune que lui et dont on dit qu'elle est sa propre fille. L'orgue qui mugit lugubrement au-dessus de leurs têtes prédit pour ce mariage toutes les calamités possibles, et toutes ces prédictions se réaliseront !

Après les noces, le directeur du Palais-Royal abandonna son appartement de la rue Saint-Thomas-du-Louvre pour emménager avec sa jeune épouse rue de Richelieu, emmenant avec lui la servante Louis Lefèbvre et son valet Provençal, qui empoisonna sa vie.

Là, dans la rue de Richelieu, ses infortunes ne tardèrent pas à commencer. Il apparut que les deux époux ne s'accordaient nullement. Le mari malade et vieillissant aimait toujours sa femme avec la même passion, mais celle-ci ne l'aimait pas. Et leur vie devint très vite un enfer.

19. *L'école du dramaturge*

Quoi qu'il pût se passer dans l'appartement de la rue de Richelieu, au Palais-Royal la vie suivait son cours. Cette année-là, de nouveaux acteurs firent leur entrée dans la troupe.

Le premier était François Lenoir, sieur de la Thorillière, un ancien capitaine de cavalerie qui possédait, outre de sérieux talents d'acteur, une bonne expérience des affaires qui amena Molière à lui confier certaines fonctions administratives, et le second, l'excellent comique Guillaume Marcoureau, sieur de Brécourt. Cet acteur était aussi auteur dramatique et passait de plus pour un redoutable bretteur que ses duels avaient plus d'une fois placé en délicate posture.

Après Pâques 1662, la saison fut assez calme, car le public avait déjà vu les premières pièces de Molière et les recettes baissèrent. Seules *L'École des maris* et la pièce de Boyer, *Tonaxare*, apportaient une certaine animation.

Cette situation se prolongea jusqu'au mois de décembre, qui vit paraître la nouvelle pièce de Molière, une comédie en cinq actes intitulée *L'École des femmes*.

Comme *L'École des maris*, *L'École des femmes* avait été

écrite pour défendre les femmes et leur droit au libre choix de leur amour, et racontait l'histoire du jaloux et despotique Arnolphe qui voulait épouser la jeune Agnès. Dans cette pièce où les situations comiques abondaient, le personnage d'Arnolphe introduisait pour la première fois une note d'amertume brisée.

À la fin de la pièce, quand la jeune Agnès victorieuse partait avec son amoureux, Arnolphe jusqu'alors bourré de traits odieux et ridicules devenait soudain pitoyable et humain.

> Enfin à mon amour rien ne peut s'égaler !

s'écriait-il avec une soudaine passion, abandonnant la dépouille du jaloux odieux. Et il poursuivait :

> Quelle preuve veux-tu que je t'en donne, ingrate ?
> Me veux-tu voir pleurer ? Veux-tu que je me batte ?
> Veux-tu que je m'arrache un côté de cheveux ?
> Veux-tu que je me tue ? Oui, dis si tu le veux :
> Je suis tout près cruelle, à te prouver ma flamme.

Les spectateurs furent impressionnés par ce monologue d'Arnolphe et dirent, les uns avec sympathie, les autres avec une joie mauvaise, qu'il reflétait l'expérience personnelle de monsieur Molière. Si cela est vrai — et malheureusement ce l'est — on peut voir quelle était la vie de Molière rue de Richelieu.

La pièce fut admirablement jouée par Molière dans le rôle d'Arnolphe et par Brécourt qui se tailla un succès exceptionnel en interprétant le valet Alain.

Toutes les manifestations auxquelles avaient donné lieu la sortie des précédentes pièces de Molière furent totalement éclipsées par celles qui suivirent la première de *L'École des femmes*. Tout d'abord, cette première débuta par un scandale. Un certain Plapisson, vieil habitué des salons parisiens, fut atteint jusqu'au fond de son être par le contenu de la pièce. Assis sur la scène, il tournait à chaque pointe ou jeu de scène un visage empourpré par la rage vers le parterre et criait :

— Ris donc, parterre ! Ris !

Et il montrait en même temps le poing aux spectateurs. Naturellement, son intervention porta à des sommets les rires du parterre.

La pièce plut beaucoup au public, et, à la deuxième représentation ainsi qu'aux suivantes, l'affluence fut telle que les recettes atteignirent le chiffre record de mille cinq cents livres par soirée.

Que disaient de la nouvelle pièce les gens de lettres et les habitués des théâtres parisiens ? Il était difficile de comprendre leurs premières paroles, car les salons parisiens retentissaient d'un tel flot d'imprécations à l'adresse de Molière qu'il était impossible de saisir quoi que ce soit du premier coup. Ceux qui s'étaient déjà déchaînés auparavant contre Molière avaient fait des dizaines de nouveaux adeptes. Nous devons noter avec tristesse qu'un homme et un auteur aussi important que Pierre Corneille céda ici à un effroyable sentiment de rancœur.

Quant aux acteurs de l'Hôtel de Bourgogne, les premières représentations de *L'École des femmes* les laissèrent très vite sans voix ! Il faut dire qu'ils avaient un excellent sujet d'affliction : fait inouï, les recettes de l'Hôtel chutèrent brutalement avec la sortie de la pièce de Molière.

Puis il se trouva à Paris des naïfs qui allèrent raconter partout avec indignation que c'étaient eux que Molière avait représentés sous les traits d'Arnolphe, le héros de sa comédie. Le Palais-Royal aurait dû les payer pour la part qu'ils prirent à l'accroissement des recettes !

La pièce provoqua donc un véritable concert de clameurs au milieu desquelles il était difficile d'entendre les voix isolées des amis de Molière, que l'on pouvait compter sur les doigts de la main. La seule voix que l'on entendit dominer le vacarme fut celle du très talentueux penseur et homme de lettres Boileau-Despréaux :

> En vain mille jaloux esprits,
> Molière, osent avec mépris
> Censurer ton plus bel ouvrage,
> Sa charmante naïveté
> S'en va pour jamais d'âge en âge
> Divertir la postérité.

Puis les choses se gâtèrent. Un jeune homme nommé Jean Donneau de Visé fut le premier à intervenir dans la presse à propos de *L'École des femmes*. Son article montre qu'au moment de sa rédaction, l'esprit de l'auteur était partagé. De Visé voulait d'abord dire que la comédie ne pouvait avoir aucun succès, mais cela était impossible car le succès était énorme.

C'est pourquoi de Visé écrivit que le succès de la pièce tenait à son exceptionnelle interprétation, ce qui montre que le littérateur n'était pas bête. Il poursuivait en disant qu'il était chagriné par la quantité d'indécences que contenait la comédie, et notait au passage que l'intrigue était mal construite. Mais comme, je le répète, de Visé n'était pas bête, il fut contraint de reconnaître qu'il y avait dans la pièce des choses réussies, et que certains types étaient si frappants qu'ils semblaient avoir été tirés par Molière de la vie même.

Mais le plus important était l'annonce faite par de Visé à la fin de son article d'une nouvelle pièce qui apparaîtrait sous peu à l'Hôtel de Bourgogne, et qui toucherait *l'École* moliéresque. De Visé s'y prit de telle manière que, bien qu'il n'eût pas nommé l'auteur, tout le monde comprit immédiatement que cette nouvelle œuvre serait due à la plume de monsieur de Visé en personne.

Que faisait Molière pendant ce temps-là ? Il dédia d'abord *L'École* à la femme de son protecteur, la princesse Henriette d'Angleterre, et, à son habitude, en profita pour déverser sur la tête de la princesse un plein baquet de flatteries. Mais il commit ensuite une erreur fatale. Oubliant qu'un écrivain ne doit en aucun cas se laisser aller à débattre de ses œuvres dans la presse, Molière, exaspéré, décida d'attaquer ses ennemis. Comme il était maître de la scène, c'est de là qu'il porta son coup en écrivant et représentant en juin 1663 une courte pièce intitulée *La Critique de l'École des femmes*.

Cette œuvre, où Armande Molière trouvait son premier grand rôle sous les traits d'Élise, présentait sous un jour comique les critiques de Molière.

Fidèle à la tactique rigoureuse qu'il s'était fixée — assurer toujours ses arrières à la cour —, Molière dédia en termes très flatteurs la pièce à la reine mère Anne d'Autriche.

Mais celle-ci lui fut par la suite de peu de secours.

Le public reconnut avec ravissement dans le personnage de Lysidas monsieur de Visé, tandis qu'une autre fraction s'écriait que ce n'était pas monsieur de Visé, mais le portrait craché de monsieur Edme Boursault, lui aussi littérateur de son état et féroce adversaire de Molière.

Alors, monsieur de Visé vit rouge et exhiba la pièce qu'il avait promise. Elle portait le titre compliqué de *Zélinde, ou la Véritable Critique de l'École des femmes, ou la Critique de la critique.* Elle mettait en scène un certain Élomire (anagramme du nom de Molière) qui écoutait dans un magasin de dentelles où se passe l'action de la pièce les conversations d'autres personnes.

En dépit de l'envie qu'il avait de monter la pièce, l'Hôtel de Bourgogne n'en fit rien, car un examen approfondi révéla qu'il s'agissait d'un tissu d'inepties, et de Visé se borna à faire publier son œuvre et à la répandre dans Paris. On put alors se convaincre que *Zélinde* était moins une critique qu'une vulgaire entreprise de mouchardage.

De Visé rapportait que les dix vieilles maximes qu'Arnolphe lisait à Agnès pour la préparer au mariage n'étaient rien d'autre qu'une évidente parodie des dix commandements bibliques. Comme vous voyez, la riposte de de Visé était de nature à causer de sérieux ennuis à Molière.

— Le coquin ! siffla Molière en se prenant la tête entre les mains. D'abord, il n'y en a pas dix ! Arnolphe en commence une onzième !...

Et il se souvenait vraiment des premiers vers des maximes d'Arnolphe :

> Celle qu'un lien honnête
> Fait entrer au lit d'autrui
> Doit se mettre dans la tête...

— Il en commence une onzième ! répétait Molière à ses acteurs.

— Il la commence, lui faisait-on gentiment observer, mais il ne prononce pas d'autres mots que « onzième maxime », de sorte que l'on est persuadé, maître, qu'il y en a dix.

J'ajouterai qu'il est très heureux que de Visé n'ait apparemment pas connu l'origine de ces dix maximes du mariage. Car Molière les avait empruntées aux œuvres des saints Pères de l'Église !

Pendant ce temps, le cours des choses s'accélérait et la haine des littérateurs pour Molière prenait de plus en plus d'ampleur. L'une des raisons en était la pension de mille livres par an que le roi avait attribuée à Molière peu après la première de *L'École des femmes* pour récompenser ses mérites de grand auteur comique. La pension était modeste, et les savants et hommes de lettres recevaient habituellement beaucoup plus, mais elle n'en joua pas moins un rôle ! Les relations entre Pierre Corneille et Molière furent définitivement rompues. Dans ce cas, il est vrai, la faute en était moins à la pension qu'à l'énorme succès de *L'École*, ainsi qu'à un petit fait : sans aucune mauvaise intention — simplement pour la beauté de la farce —, Molière avait emprunté un vers de la tragédie de Corneille *Sertorius* et l'avait replacé dans le final du deuxième acte de *L'École*, de sorte que dans la bouche d'Arnolphe, les mots de Corneille prenaient une résonance comique.

On pourrait penser que cette bagatelle (s'adressant à Agnès, Arnolphe reprend les mots de Pompée : « ... C'est assez. Je suis maître, je parle ;

allez, obéissez ») ne pouvait causer aucun tort à Corneille. Mais celui-ci se montra extraordinairement affecté de l'usage qui était fait de ses vers tragiques.

Mais par la suite, Molière eut des leçons plus dures à digérer. On commença à dire dans le grand monde que Molière avait dans sa *Critique de l'École des femmes* ridiculisé deux personnages : Jacques de Souvré, chevalier de l'Ordre de Malte, et le duc de La Feuillade, maréchal de France et commandant d'un régiment de Gardes françaises. Avec Jacques de Souvré, tout se passa bien, mais l'affaire se termina mal avec La Feuillade. Harcelé de tous côtés et pressé de réagir, celui-ci finit par se convaincre que c'était lui qui était visé dans *La Critique* à travers le marquis qui répétait inlassablement avec une indignation stupide les mots : « Tarte à la crème », et il infligea dans sa fureur un terrible affront à Molière. Rencontrant le dramaturge, dans une galerie de Versailles, il fit mine de vouloir l'embrasser, le pressa contre lui et lui déchira le visage en le frottant contre les boutons précieux de son habit.

Il est amer de constater que Molière ne fit rien pour faire payer au duc son offense. Le manque de résolution joua-t-il un rôle, la différence de position entre le comédien et le duc était-elle trop grande, ou craignit-il d'encourir la colère du roi qui réprimait durement le duel (et Molière lui-même ne se privait pas dans ses comédies de se moquer des duellistes), toujours est-il que Molière ne provoqua pas le duc en duel.

On doit d'ailleurs supposer que dans cette éventualité l'activité de Molière se serait arrêtée à *La Critique de l'École des femmes*, car La Feuillade l'aurait sans nul doute tué.

Si de Visé ne réussit pas à faire représenter son œuvre, le deuxième littérateur malmené par Molière dans *La Critique*, Edme Boursault, fut plus heureux. Sa pièce, intitulée *Portrait du peintre, ou la Contre-critique de l'École des femmes* fut jouée par les acteurs de l'Hôtel. Dans son *Portrait*, Boursault représentait Molière comme un personnage extrêmement douteux et faisait, à l'instar de de Visé, allusion aux dix commandements. Mais le roi ne parut pas touché par les références aux commandements, et l'on commença à murmurer à Paris qu'il était infiniment plus intéressé par la guerre qui faisait rage entre Molière et la phalange de ses ennemis, et qu'il avait même conseillé à Molière d'attaquer à nouveau ses adversaires sur la scène. Ce fut vraiment un mauvais conseil que donna le roi !

Monsieur de Molière écrivit *L'Impromptu de Versailles* et joua la pièce le 14 octobre 1663. L'action était la répétition d'une pièce pour le roi, de sorte que les acteurs du Palais-Royal jouaient leur propre rôle. Mais la répétition n'était pour Molière qu'un prétexte à développer ses attaques contre l'Hôtel et ses acteurs détestés.

Le fait était que l'on parlait de plus en plus mal du comédien outragé au visage déchiré. Que Molière était malheureux en ménage, tout le monde, naturellement, le savait déjà. De mauvais cancaniers répandirent le bruit qu'Armande le trompait depuis longtemps déjà. Voilà quel était selon eux le douloureux secret de Molière : l'homme qui ridiculisait sur la scène les Sganarelle et les Arnolphe était lui-même d'une jalousie maladive. On peut s'imaginer l'effet que produisirent sur Molière ces racontars qui l'exposaient à l'opprobre général. Il décida que les acteurs de l'Hôtel de Bourgogne portaient la responsabilité de cette infamie et, ivre de rage, entreprit de les tourner en dérision dans *L'Impromptu de Versailles*.

— Et qui fait les rois parmi vous ? disait Molière qui jouait son propre rôle. Qui ? Ce jeune homme bien fait ? Vous moquez-vous ? Il faut un roi qui soit gros et gras comme quatre ; un roi, morbleu ! qui soit entripaillé comme il faut. Un roi d'une vaste circonférence, et qui puisse remplir un trône de la belle manière !

Il ne fallait pas, il ne fallait pas se moquer des imperfections physiques de Zacharie Montfleury !

Puis c'était la déclamation de l'actrice Beauchâteau et des acteurs Hauteroche et Villiers qui était raillée.

Molière s'en prenait au passage aux marquis, qu'il traitait ainsi :

— Le marquis aujourd'hui est le plaisant de la comédie ; et comme dans toutes les comédies anciennes on voit toujours un valet bouffon qui fait rire les auditeurs, de même, dans toutes nos pièces de maintenant, il faut toujours un marquis ridicule qui divertisse la compagnie.

C'était ensuite le tour d'Edme Boursault, qui devenait sur la scène de *L'Impromptu* « ce petit monsieur l'auteur, qui se mêle d'écrire contre des gens qui ne pensent pas à lui »... Oui, le conseil du roi était indubitablement malheureux ! Mais notre héros était comme un loup solitaire qui sent à l'entrée de sa tanière le souffle des chiens excités.

Et tous s'acharnèrent sur le loup : Villiers et de Visé écrivirent *La Vengeance des marquis*, tandis que Montfleury fils, Antoine Jacob, ulcéré par l'offense faite à son vieux père, rédigeait une pièce intitulée *L'Impromptu de l'Hôtel de Condé*.

Dans *La Vengeance des marquis*, Molière se voyait traiter sans façon de rustaud tout juste bon à voler les idées des autres auteurs, de singe, et de cocu. Dans *L'Impromptu de l'Hôtel de Condé*, Antoine Montfleury vengeait son père et rendait à l'auteur de *L'Impromptu de Versailles* la monnaie de sa pièce en se gaussant de Molière jouant César ; la riposte était fondée, puisque l'on sait que Molière était particulièrement mauvais dans ce rôle.

Puis le théâtre du Marais se joignit à la curée en éreintant lui aussi Molière dans une pièce.

Enfin, un certain Philippe de la Croix composa une œuvre intitulée *La Guerre Comique, ou Défense de l'École des femmes* où il faisait justement remarquer que pendant qu'Apollon se repose dans les cieux, les écrivains et les acteurs se querellent comme des chiens qui se disputent un os. Par ailleurs, de la Croix faisait dire à Apollon que la pièce qui était à l'origine de cette guerre, c'est-à-dire *L'École des femmes*, était une bonne pièce.

La malheureuse année 1663 s'acheva sur la douteuse initiative du vieux Montfleury qui, ayant longuement remâché sa rancune, adressa au roi une dénonciation en bonne et due forme dans laquelle il accusait Molière d'avoir épousé sa propre fille.

Molière fut abasourdi par ce dernier coup, et l'on ne sait pas ce qu'il représenta au roi pour se laver de l'accusation d'inceste, mais il ne fait pas de doute qu'il lui fallut trouver quelque chose pour se justifier. Il faut supposer qu'il fit appel aux actes notariés qui désignaient Armande Béjart comme la fille de Marie Hervé-Béjart. Le roi se satisfit des arguments de Molière : l'affaire n'eut pas d'autre suite et la grande guerre entre Molière et ses ennemis commença à s'apaiser.

Mon héros en sortit malade — une toux suspecte

s'était déclarée —, fatigué et animé d'un étrange état d'esprit ; ce n'est que par la suite que l'on attacha à cet état la très sérieuse appellation médicale d'hypocondrie. En même temps, il avait ouvert la porte de l'éternité à deux écrivains mineurs : de Visé et Edme Boursault. Ils avaient rêvé de gloire, et l'avaient obtenue grâce à Molière. Sans le combat que celui-ci leur livra, il est probable que nous nous souviendrions à peine de leurs noms, ainsi que de tant d'autres.

20. *Le compère égyptien*

Rongé par le ver de la mélancolie, le visage encore marqué par les boutons de La Feuillade, Molière aborda l'année 1664 tout auréolé d'une gloire qui avait traversé la France, franchi les crêtes des Alpes et essaimé dans les pays voisins.

Quelque pénible que fût leur vie conjugale, les époux Molière mirent cependant au monde, le 19 janvier 1664, un garçon. Dans l'intervalle entre la naissance et le baptême de l'enfant, Molière prépara et mit en scène sa nouvelle comédie, *Le Mariage forcé.*

C'était à vrai dire une pièce en un acte, mais, connaissant la passion du roi pour le ballet, Molière y introduisit de nombreux numéros de danse qui portèrent sa longueur à trois actes.

Un Florentin homonyme de Molière, le talentueux compositeur de la cour Giovanni-Baptiste Lulli, écrivit la musique du *Mariage*, et Beauchamps, le maître de ballet du roi, régla les danses. La pièce posa de nombreux problèmes de mise en scène, qui coûtèrent beaucoup d'argent, mais cet argent ne fut pas dépensé en vain.

Pour le plaisir du roi, Molière introduisit dans la pièce les épisodes de ballets. Pour son propre plaisir, il

y plaça deux philosophes de comédie. Le vieux Clermontois, qui n'avait pas oublié les leçons de Gassendi,
mit en scène deux badernes érudites : l'une, Pancrace,
est un philosophe de l'école aristotélicienne, l'autre,
Marphurius, se réclame du sceptique Pyrrhon.

Le premier entassait baliverne sur baliverne, pour la
plus grande joie des spectateurs. À l'inverse, le second
était avare de paroles et poussait le scepticisme jusqu'à
conseiller à Sganarelle de douter même de ce dont ne
peut douter tout homme qui a des yeux pour voir. Ainsi,
en arrivant quelque part, Sganarelle devait dire non pas
« je suis venu » mais « il me semble que je suis venu »,
ce qui ne manquait pas de provoquer l'étonnement
justifié de l'homme de bon sens qu'était Sganarelle.

Les deux belles scènes où l'on voyait ces deux pédants
irritèrent vivement la faculté de philosophie de Paris et
l'on se demande comment cette irritation ne se mua pas
en grand scandale car, comme je l'ai déjà dit, se moquer
des philosophes de l'école aristotélicienne était loin
d'être sans danger.

Il se peut que la source du *Mariage forcé* ait été la
récente aventure du comte Philibert de Grammont, qui
avait fait beaucoup de bruit dans Paris. Ce comte avait
un tel succès auprès des dames que le roi finit par se
lasser d'entendre les récits de ses aventures et lui
enjoignit d'aller faire un petit séjour en Angleterre.
Mais à peine débarqué, le comte fit la conquête d'une
dame d'honneur, mademoiselle Hamilton.

La société londonienne, qui connaissait mal de
Grammont, parla de mariage. Mais quand, après un
délai décent, il se prépara à regagner sa France natale,
le comte ne prononça pas en faisant ses adieux à la
demoiselle un seul mot qui pût donner à penser qu'il
envisageait de se marier.

Le comte se trouvait déjà dans le port de Douvres et s'apprêtait à embarquer quand parurent soudain sur le quai les deux frères de mademoiselle Hamilton. Un seul regard suffit au comte pour se convaincre que les frères étaient venus avec des intentions bien arrêtées : leurs manteaux laissaient évidemment dépasser, comme il se doit, la poignée de leur épée, mais ils s'étaient en outre munis de pistolets. Les frères saluèrent Grammont par des révérences et firent montre d'une politesse que le comte trouva excessive.

— Comte, dit l'aîné, n'avez-vous rien oublié à Londres ?

Grammont sentit le souffle du vent qui gonflait si délicieusement les voiles vers la terre natale, considéra les agrès du vaisseau, les pistolets et pensa : « Pas de doute, même si j'arrive à toucher l'aîné, il faudra encore que je me batte avec l'autre. Cela fera dans le port un tapage très ennuyeux, et ce qui est plus grave, le roi en sera extrêmement affligé. Et cette demoiselle Hamilton est après tout bien charmante... »

Et le comte répondit aux Hamilton :

— Oui, messieurs, j'ai oublié d'épouser votre sœur. Mais je retourne sur-le-champ à Londres réparer cet oubli.

Et peu de temps après, Grammont était marié.

Mais il est aussi possible que Molière ait puisé le matériau de sa comédie non dans les aventures de Philibert de Grammont, mais dans celles d'un certain Panurge, décrites par le célèbre écrivain satirique Rabelais.

La somptueuse comédie-ballet fut représentée le 29 janvier dans les appartements royaux du Louvre avec beaucoup de faste. Dans une des entrées de ballet du deuxième acte, le premier Égyptien qui dansait avec le marquis de Villeroy n'était autre que le roi de France. Voilà jusqu'où allait son amour du ballet! Outre le roi, étaient montés sur la scène le frère de celui-ci, qui jouait le rôle d'un des admirateurs de la femme de Sganarelle, et une série de courtisans, dont trois qui faisaient les tziganes et quatre les démons. Tous furent unanimes à déclarer que le meilleur interprète du spectacle était le premier Égyptien. Nous ne dirons rien, mais pensons par-devers nous que les meilleurs furent Sganarelle, joué par Molière, et Pancrace et Marphurius joués par Brécourt et du Croisy.

Du Louvre, la pièce passa à la scène familière du Palais-Royal dans sa version en un acte, dépouillée de ses coûteux ballets, mais ne remporta pas de succès particulier.

Le roi s'offrit encore le luxe de sacrifier à son art favori en dansant le 13 février dans un autre ballet que montèrent pour lui les comédiens de l'Hôtel de Bourgogne, toujours aussi jaloux de Molière. On vit aussi dans le prologue du ballet les fameux des Œillets et Floridor. Quant à Molière, il put revenir à son répertoire et aux affaires de sa famille.

Celles-ci baignaient dans une lumière crépusculaire de peines et de mystères et le 28 février seuls les flambeaux qui brûlaient dans l'église Saint-Germain-l'Auxerrois dissipaient quelque peu les ténèbres de la vie d'un Molière en proie à la mélancolie. On baptisait ce jour-là son premier-né. La cérémonie revêtait une pompe et un apparat inusités. Un soldat de la Garde muni d'une longue hallebarde se tenait devant les fonts baptismaux, et sur le visage du prêtre se peignait une extase insolite : celui qui avait accepté d'être le parrain de l'enfant n'était autre que le roi de France. L'auguste compère était représenté par le duc de Créqui, et la très illustre commère Henriette par la princesse d'Orléans, épouse du maréchal du Plessis. L'enfant fut naturellement appelé Louis.

Le baptême fit grande impression à Paris, et les campagnes contre Molière se calmèrent sensiblement. Les gens virent se profiler derrière les épaules du directeur de la troupe l'ombre du roi, et nombre de ceux qui aiment à se ranger du côté du vainqueur racontèrent en battant des mains que Montfleury n'avait plus aucun succès à la cour avec ses dénonciations, et qu'on l'avait même quasiment mis à la porte.

Sur ces entrefaites, Molière effectua un déménagement qui parut étrange à beaucoup. Il quitta son appartement de la rue de Richelieu et s'installa avec sa femme à l'endroit qu'il occupait auparavant, à l'angle de la Place Royale et de la rue Saint-Thomas-du-Louvre où il vécut sous le même toit que Madeleine Béjart et madame de Brie. Après son déménagement, Molière continua, malgré le trouble de son esprit, à travailler avec emportement à une grande œuvre. Il se livrait à ce travail en cachette, et très peu de gens étaient au courant. Parmi ceux qui se trouvaient dans la confidence, on notera le fameux critique et poète Boileau-Despréaux qui était devenu, malgré la grande différence d'âge (il avait quatorze ans de moins que Molière), le meilleur ami de mon héros, ainsi que l'une des plus intelligentes et captivantes femmes de France, Ninon de Lenclos, surnommée l'Aspasie française, dans le salon de laquelle Molière lisait sans publicité particulière des extraits de sa nouvelle comédie.

Au roi, qu'il avait su charmer par ses ballets et qui suivait maintenant avec une attention bienveillante les travaux de son compère, Molière déclara de son ton le plus soumis qu'il écrivait une grande comédie sur la bigoterie et l'hypocrisie.

À cette époque, c'est-à-dire au début du printemps 1664, l'aménagement du château de Versailles fut achevé et ce fut le début des grandioses festivités qui s'y déroulèrent.

Dans l'immense allée bordée par deux murs de verdure soigneusement taillée s'avançait un cortège à la tête duquel chevauchait le roi Louis. Les orchestres jouaient et les trompettes poussaient des clameurs si assourdissantes qu'on avait l'impression de pouvoir les entendre de Paris, à vingt kilomètres de là. Entre les groupes d'instruments, défilaient des chars et sur l'un d'eux se dressait, déguisé en dieu Apollon, Charles Varlet de La Grange. Les autres chars portaient des acteurs revêtus de costumes qui représentaient les signes du zodiaque. Il y avait aussi des chevaliers, des nègres et des nymphes. Et parmi eux, sur un char, un dieu Pan aux pieds de bouc qui était monsieur de Molière.

Que signifiait tout cela ? Les trompettes des hérauts annonçaient le début des « Plaisirs de l'Île enchantée », les grandes fêtes de Versailles organisées par le duc de Saint-Aignan sur l'ordre du roi.

Les jardiniers royaux avaient taillé dans la mer de verdure de Versailles de véritables théâtres qu'ils avaient décorés de guirlandes et d'ornements floraux, les artificiers avaient préparé des feux d'artifice d'un éclat et d'une puissance encore jamais vus et Vigarani avait conçu les machines destinées aux représentations théâtrales.

Et quand les fêtes commencèrent, on vit tous les soirs les jardins de Versailles s'embraser de flammes multicolores, les étoiles tomber du ciel avec fracas, et, de loin, il semblait que la forêt de Versailles était en feu.

Molière travailla fiévreusement pour cette fête et composa en un temps très court sur un canevas emprunté à un dramaturge espagnol une pièce qu'il intitula *La Princesse d'Élide*. Dans cette représentation galante et frivole, la princesse d'Élide était jouée par Armande Molière. La cour put constater l'immense talent de la femme du fameux comédien, et mesurer ce qu'elle avait appris à son contact. Tout le monde fut enthousiasmé par son jeu, et une nuée de courtisans enveloppa la spirituelle langue de vipère dans un tourbillon de soieries citron brodées d'or et d'argent.

La Princesse d'Élide procura au roi infiniment de plaisir, et un nouveau sujet de chagrin à son auteur. Les chevaliers de la cour, redoutables par leur jeunesse, leur beauté et leur richesse lui gâchèrent définitivement la fête. Dès le premier jour, les cancans sur sa femme recommencèrent et parvinrent aussitôt à ses oreilles, sous la forme d'expressions de regret empoisonnées ou d'allusions mesquines. Mais il ne se rebiffait plus et se contentait de retrousser les lèvres sur des dents jaunies, à la manière d'un loup : apparemment, il s'était habitué à beaucoup de choses depuis la guerre qu'il avait livrée l'année précédente à l'Hôtel de Bourgogne, et il ne s'étonnait plus maintenant d'aller nu parmi les hommes. Enfin, un autre malheur s'était abattu sur lui : Louis, le filleul du roi, était mort aussitôt après la première de *La Princesse d'Élide*.

Cependant le déroulement des festivités se poursuivait ; dans les théâtres de fleurs, les orchestres jouaient les mélodies de Lulli, le ciel dégouttait de feux d'artifice, et l'on s'approchait du fatidique sixième jour des *Plaisirs*. Ce jour-là, le 12 mai, après avoir prévenu le roi que l'œuvre n'était pas encore terminée, Molière présenta au monarque et à sa cour trois actes de sa mystérieuse pièce sur la bigoterie, intitulée *Le Tartuffe, ou l'Hypocrite.*

Je n'irai pas par quatre chemins. La pièce dépeignait un coquin de la pire espèce, menteur, vaurien, délateur et espion, hypocrite, débauché et suborneur. Ce personnage, qui représentait un danger manifeste pour les gens qui l'entouraient, n'était autre qu'un serviteur de Dieu. Tous ses discours étaient imprégnés de tournures dévotes, doucereuses, et de plus il accompagnait chacun de ses actes ignobles de citations des Saintes Écritures !

Il ne me paraît pas utile d'ajouter quoi que ce soit à ce que je viens d'écrire. La représentation fut donnée en présence du roi, de la reine mère, femme très pieuse, et d'innombrables courtisans, dont beaucoup étaient des membres zélés de la Compagnie du Saint-Sacrement, société religieuse qui avait un peu auparavant beaucoup fait parler d'elle en déployant une activité forcenée pour protéger la religion et la pureté des mœurs, à un tel point que le gouvernement lui-même avait à un moment tenté d'y mettre un terme.

La comédie du *Tartuffe* commença devant un public plein d'une attention enthousiaste et bienveillante — qui fit aussitôt place à une profonde stupeur. À la fin du troisième acte, les spectateurs ne savaient plus que penser et il vint même à l'esprit de certains d'entre eux que monsieur de Molière n'avait plus toute sa raison.

On trouve évidemment de tout dans les ecclésiastiques, comme cet abbé Roquette, devenu par la suite évêque d'Autun, que Molière avait connu au temps inoubliable du Languedoc, à l'époque où l'abbé était célèbre parmi ses ouailles pour sa stupéfiante inconduite, ou l'ex-avocat Charpy, qui s'était fait prédicateur et qui avait dans le même temps séduit la femme du pharmacien de la cour, ou encore le fameux franciscain de Bordeaux, le père Itié, qui s'était signalé pendant la Fronde par ses trahisons inouïes, et quelques autres encore. Mais tout de même montrer sur la scène ce que montrait Molière!... Non, vous conviendrez que c'était impensable!

Les marquis souffre-douleur avaient déjà pris l'habitude d'être en quelque sorte jetés en pâture à Molière par le roi. Les Sganarelles, les boutiquiers avaient eux aussi été traités de la belle manière... Mais avec *Tartuffe*, Molière abordait un terrain sur lequel il ne faisait pas bon s'aventurer.

L'indignation grandit avec une rapidité extraordinaire et se manifesta par un silence de mort. Une chose inouïe s'était produite. Le comédien du Palais-Royal avait d'un trait de plume troublé la fête et mis fin aux réjouissances versaillaises : la reine mère quitta la ville avec éclat.

Puis l'affaire prit un tour très sérieux. Louis vit voltiger devant ses yeux une robe de feu, et celui qu'elle recouvrait n'était pas n'importe qui, mais l'archevêque de la ville de Paris, le cardinal Hardouin de Beaumont de Péréfixe qui pressa instamment le roi d'interdire sur l'heure *Tartuffe* à la représentation. La compagnie du Saint-Sacrement ne parlait que d'une chose : Molière était trop dangereux. C'était la première et peut-être l'unique fois de sa vie où le roi était étonné par une représentation théâtrale.

Et vint le moment où les deux compères demeurèrent en tête à tête. Ils se regardèrent quelque temps en silence. Louis, qui savait depuis son enfance s'exprimer de manière brève et nette, sentait sa langue qui ne voulait pas former les mots. La lèvre inférieure avancée, le roi regardait obliquement le comédien tout pâle et retournait dans sa tête une pensée de ce genre : « Ce monsieur de Molière représente vraiment un cas intéressant ! »

À cet instant, le compère comédien se risqua à dire la chose suivante :

— Je voulais donc, Votre Majesté, vous demander très humblement l'autorisation de représenter *Le Tartuffe*.

Le compère roi fut stupéfait.

— Mais, monsieur de Molière, dit-il en fixant avec une grande curiosité son interlocuteur dans les yeux, tout le monde assure que votre pièce se moque de la religion et de la piété...

— J'oserai faire observer à Votre Majesté, répondit cordialement le compère du roi, qu'il y a la vraie et la fausse piété...

— C'est vrai, admit le parrain qui ne quittait pas Molière des yeux. Mais, encore une fois, vous pardonnerez ma franchise, tout le monde dit qu'il est impossible dans votre pièce de savoir si vous vous moquez de la vraie ou de la fausse piété. De grâce, mille excuses, mais je ne suis pas connaisseur en ces matières, ajouta le roi, avec la politesse qui lui était coutumière.

Un silence. Puis Louis dit :

— C'est pourquoi je vous prierai de ne pas jouer cette pièce.

Après des fêtes à l'issue si malheureuse, le roi partit pour Fontainebleau. Il y fut suivi par Molière, lui-même suivi par l'affaire du *Tartuffe* qui prenait une ampleur démesurée.

À Fontainebleau, *La Princesse d'Élide* fut vue par des ambassadeurs du pape de Rome parmi lesquels se trouvait un parent du pontife, le cardinal Chigi, venu en France pour des négociations. *La Princesse* plut au cardinal qui engagea Molière à lui lire *Le Tartuffe*. Molière lut sa pièce et, à l'étonnement général, le légat du pape dit aimablement qu'il ne voyait rien d'inacceptable dans cette comédie et qu'il n'y découvrait aucune offense à la religion. L'avis cardinalice donna des ailes à Molière qui entrevit la possibilité d'obtenir pour sa pièce l'appui du Saint-Siège. Mais cet espoir ne se réalisa pas. Le roi avait à peine eu le temps de s'installer à Fontainebleau qu'on lui présenta une œuvre publiée avec une extraordinaire rapidité à Paris par le père Roullé, curé de l'église Saint-Barthélemy. Elle était adressée au « Roi glorieux du monde, Louis XIV », et traitait uniquement du *Tartuffe*.

L'honorable curé était un homme de tempérament qui ne déguisait pas ses opinions. Selon lui, Molière n'était pas un homme, mais « un démon vêtu de chair et habillé en homme ». Et comme il était de toute façon promis aux flammes de l'enfer, Pierre Roullé pensait qu'il convenait, sans attendre le feu infernal, de brûler publiquement ledit Molière et son *Tartuffe*.

Informé du libelle du père, Molière adressa sans tarder au roi un placet dans lequel il implorait sa défense en termes désespérés.

Louis XIV ne pouvait supporter qu'on lui donne des conseils sur la manière dont il devait se comporter envers quelqu'un. C'est pourquoi Roullé et ses projets d'autodafé n'eurent aucun succès. Mieux, il fut très mal accueilli avec son inepte suggestion.

Il se trouva cependant, en plus du cardinal romain, un autre défenseur du *Tartuffe*. Ce fut le prince de Condé, homme aux manières rudes et brutales mais à l'esprit curieux et délié. À l'époque où éclata l'affaire du *Tartuffe*, les Italiens donnèrent une farce, *Scaramouche ermite*, où un moine était représenté sous un aspect extrêmement négatif. Le roi, que l'affaire du *Tartuffe* laissait toujours perplexe, dit à Condé après une visite aux Italiens :

— Je ne comprends pas pourquoi on en veut tellement à ce *Tartuffe* ? Il y a dans *Scaramouche* des choses beaucoup plus dures.

— Votre Majesté, lui répondit Condé, c'est que dans *Scaramouche* l'auteur se rit du ciel et de la religion, dont ces messieurs-là se soucient peu, tandis que dans *Le Tartuffe* ce sont leurs propres personnes que Molière malmène. Voilà la raison de leur rage, sire !

Mais l'intervention de Condé ne fut d'aucun secours à Molière. Que fit alors l'auteur de la malencontreuse pièce ? Il la brûla ? Il la cacha ? Non. Sitôt remis du choc de Versailles, l'incorrigible dramaturge s'installa à sa table de travail pour écrire les deux derniers actes du *Tartuffe*.

Le protecteur de Molière, Orléans, voulut naturellement voir la pièce. Au cours de l'été, Molière donna donc une représentation des trois premiers actes au château de Villers-Cotterêts et, quand il l'eut terminée, joua l'intégralité de la pièce devant Condé, au Raincy.

Oui, la pièce était interdite mais il était absolument impossible d'empêcher sa diffusion, et des copies commencèrent à circuler à travers la France. Le bruit en parvint même dans d'autres pays d'Europe, et la reine Christine de Suède, nouvellement convertie à la religion catholique et qui se trouvait alors à Rome, fit à la France une demande officielle pour qu'on veuille bien lui remettre un exemplaire de la pièce : la reine voulait la monter à l'étranger. Les pouvoirs français se trouvèrent placés dans une position délicate, mais ils parvinrent à trouver un prétexte pour ne pas accéder à la demande de la reine.

Quand Molière, malade, toussant et irrité par la seule vue des gens, quitta Fontainebleau pour retourner à ses affaires du Palais-Royal, il trouva un théâtre dont les recettes avaient brutalement chuté. *La Princesse d'Élide* remplissait toujours la salle mais coûtait trop cher. Le théâtre donnait aussi *La Thébaïde* de l'excellent dramaturge Jean Racine qui devenait à la mode, mais la pièce ne faisait pas de grosses recettes. L'interdiction du *Tartuffe* était à tous égards une catastrophe pour le directeur.

Et, après le nouveau coup du sort que fut la mort de Gros-René Duparc — remplacé par le comique Hubert, spécialiste des rôles de vieille femme —, Molière songea sérieusement à remplacer *Le Tartuffe*.

21. *Que le tonnerre écrase Molière !*

Il se plongea dans l'étude des légendes espagnoles. Se querellant avec sa femme, grognant et toussant, il se penchait sur les in-folio et noircissait du papier. L'image d'un séducteur plein de charme, Don Juan Tenorio, traversa l'une de ses nuits de veille et se précisa de plus en plus dans son esprit. Il relut la pièce du moine Gabriel Tellez, plus connu sous le pseudonyme de Tirso de Molina, puis les pièces des Italiens sur ce même Don Juan. Le thème avait voyagé dans divers pays et attiré tout un chacun, y compris les Français. Ceux-ci avaient récemment joué à Lyon et à Paris des pièces sur *Don Juan, ou Le Convié de pierre*, transformé en *festin de pierre* par le traducteur de la pièce espagnole qui avait fait un contresens sur le mot « combidado ».

Molière se passionna pour l'histoire et réussit à écrire une très belle pièce à la fin étrange et fantastique : son Don Juan était englouti par les flammes de l'enfer.

La première eut lieu le 15 février 1665. Don Juan était joué par La Grange, son serviteur par Sganarelle-Molière, Pierrot par le comique Hubert, Don Louis par le boiteux Béjart, Dimanche par Du Croisy, La

Ramée par de Brie. Les rôles des deux paysannes séduites par Don Juan, Charlotte et Mathurine, avaient été confiés à madame de Brie et Armande, à nouveau enceinte de quatre mois.

Dès la première, *Dom Juan, ou le Festin de pierre* fit mille huit cents livres. Par la suite, les recettes grimpèrent jusqu'à atteindre deux mille quatre cents livres.

Les Parisiens sortirent ébranlés de *Dom Juan*. On aurait pu s'attendre qu'après le dur coup que lui avait porté l'affaire du *Tartuffe*, l'auteur se repentît et présentât au public une œuvre entièrement acceptable et qui ne toucherait pas aux principes généraux. Non seulement il n'en fut rien, mais le scandale de *Dom Juan* fut aussi grand, si ce n'est plus, que celui du *Tartuffe*. Et cela surtout parce que la voix de Don Juan tonnait sur la scène, alors que *Tartuffe* n'était malgré tout connu que par une fraction restreinte du public.

Le Don Juan que Molière avait pris pour héros de sa pièce était un athée résolu et déterminé, mais en même temps un homme extrêmement intelligent, courageux et prodigieusement séduisant malgré ses vices et défauts. Les arguments de Don Juan étaient acérés comme la pointe d'une épée, et à ce splendide libre penseur Molière opposait son valet Sganarelle, personnage vulgaire et couard.

Les zélateurs de la piété furent accablés, et leur accablement se changea bientôt en fureur. On vit paraître les premiers articles sur *Dom Juan*. Un certain Barbier d'Aucour, qui écrivait sous le pseudonyme de Rochemont, réclama un châtiment exemplaire pour monsieur Molière et évoqua l'empereur Auguste, qui châtia un bouffon qui s'était moqué de Jupiter. Il mentionna aussi un autre empereur romain, Théodose, qui jetait aux bêtes les auteurs comme Molière.

Après Rochemont, un autre écrivain remarqua que ce serait une bonne chose si la foudre frappait l'auteur en même temps que son héros. Puis intervint, pour la dernière fois alors, notre vieille connaissance, le pieux prince de Conti. Il affirma dans une œuvre qu'il avait entièrement consacrée à la comédie et aux acteurs que *Dom Juan* se réclamait ouvertement de l'école de l'athéisme — et il faut admettre que le prince raisonnait très justement en la circonstance.

— On ne peut pas en effet, écrivait-il, faire prononcer à Don Juan des paroles audacieuses, et confier la tâche de défendre la religion et le principe divin à un imbécile de laquais. Dans quelle mesure peut-il donner la réplique à son prestigieux adversaire ?

D'une manière générale, les souhaits pour que le directeur du Palais-Royal soit frappé par le feu céleste se multipliaient. Ce qui avait le plus marqué les spectateurs dans la pièce, c'était l'étrange scène dans laquelle un mendiant répondait à Don Juan qui lui demandait quelle était son occupation :

— De prier le Ciel tout le jour pour la prospérité des gens qui me donnent quelque chose.

Don Juan faisait alors remarquer que celui qui prie toute la journée ne peut pas vivre mal. Le mendiant avouait cependant qu'il était dans la plus grande nécessité. Don Juan lui disait alors que ses soins étaient bien mal récompensés par le ciel et lui proposait un louis d'or, à condition que le pauvre accepte de blasphémer. Le mendiant refusait, et Don Juan lui donnait malgré tout le louis d'or, « pour l'amour de l'humanité ».

Par cette scène, Molière se mit à dos même ceux qui

lui étaient relativement favorables, et la foudre dont l'auteur frappait à la fin son héros ne satisfit personne. En bref, *Dom Juan* ne demeura que peu de temps sur la scène et la pièce fut interdite à la quinzième représentation.

Il faut bien ajouter que grâce à *Dom Juan* Molière se brouilla avec toute une corporation de gens savants de Paris, les médecins en la circonstance, à l'adresse desquels il avait décoché dans la pièce une série de violentes railleries.

S'étant ainsi fait de nouveaux ennemis, Molière entra dans la morte-saison. L'été se traîna, accablant et sans joie. À la maison, il fallait se quereller avec une femme enceinte et devenue irritable, et se disputer furieusement et inutilement à propos de la baisse des recettes : il était très difficile d'enrayer celle-ci après l'interdiction du *Tartuffe* et de *Dom Juan*.

Quand son humeur devenait par trop noire, Molière recourait au vin, et un petit groupe d'amis, composé d'anciens camarades de classe auxquels s'étaient joints La Fontaine, Boileau et la nouvelle étoile qui se levait, Jean Racine, se réunissait de temps en temps au « Mouton Blanc » ou à « La Pomme de pin ». Ces réunions étaient présidées par le tumultueux Chapelle, qui n'aimait rien tant dans la vie que boire. On peut penser que si cette compagnie, surtout avec Molière en tête, se présentait de nos jours dans n'importe quel restaurant de France, on la régalerait gratis !

Pendant ce temps, le théâtre continuait. En juin, on joua à Versailles sur la demande du roi *La Coquette*, écrite par une femme dramaturge, mademoiselle Desjardins. La pièce fut donnée dans un théâtre de plein air, et les acteurs furent frappés par le nombre extraordinaire d'orangers qui décoraient le théâtre.

Le 4 août, Armande donna à son mari une fille. Le parrain de l'enfant fut notre vieille connaissance Esprit Rémond de Modène, et la marraine, Madeleine. Le roman des vieux amants était depuis longtemps terminé et Madeleine et de Modène étaient maintenant liés par une amitié étale et nostalgique ; en l'honneur des anciens amants désormais compère et commère, la fillette fut appelée Esprit-Madeleine.

Quelques jours après la naissance de la fille de Molière se produisit un événement qui remonta considérablement le moral de la troupe. Le vendredi 14 août 1665, alors que les acteurs se trouvaient à Saint-Germain-en-Laye, le roi fit connaître à Molière sa très haute volonté : la troupe passait désormais sous son propre patronage et porterait le nom de « Troupe du roi au Palais-Royal ». Elle recevrait en outre une pension de six mille livres annuelles.

L'allégresse fut grande parmi les acteurs, et il fallut répondre comme il convenait à la faveur royale. Et Molière y aurait répondu sans tarder, s'il n'avait été très malade. Son organisme tout entier était atteint. Il avait de. très fortes douleurs à l'estomac, d'origine apparemment nerveuses, qui ne lui laissaient aucun répit. En outre il toussait de plus en plus, et cracha même un jour du sang. Un conseil de médecins fut donc réuni pour examiner Molière.

Mais dès qu'il alla mieux, Molière fit la preuve d'une expérience du métier de dramaturge dont aucun autre auteur au monde n'a jamais donné signe. Je ne comprends pas comment il a pu, en cinq jours, écrire, répéter et jouer une comédie-ballet en trois actes et un prologue. Cette pièce, montrée le 15 septembre à Versailles, et qui s'appelait *L'Amour médecin, ou les docteurs*, procura beaucoup de plaisir au roi. Puis elle passa sur la scène du Palais-Royal, où elle fit de belles recettes et donna naissance à un de ces scandales dont Molière avait l'habitude.

Cette fois, ce fut le tour de la faculté de médecine française d'être très sérieusement offensée, parce que la pièce mettait en scène quatre docteurs qui étaient de purs charlatans.

Qu'est-ce qui avait amené Molière à se prendre de querelle avec les médecins ? Nous savons déjà que Molière était tout le temps malade, d'une maladie sans espoir qui le plongeait de plus en plus dans une hypocondrie où il s'épuisait. Il avait cherché de l'aide et s'était tourné vers les docteurs, mais ceux-ci ne lui avaient été d'aucun secours. Et ses attaques contre eux étaient peut-être justifiées, car l'époque de Molière fut l'une des plus tristes de l'histoire de ce grand art qu'est la médecine. Les soins dispensés alors par les médecins étaient dans la plupart des cas inopérants, et il est impossible de dresser la liste de tous leurs exploits. Nous l'avons déjà dit, ils avaient fait mourir Gassendi à force de saignées. L'année précédente, un médecin avait envoyé dans l'autre monde un bon ami de Molière, Le Vayer, en lui administrant par trois fois un vomitif, absolument contre-indiqué pour la maladie dont il souffrait. Auparavant, lors de la mort du cardinal Mazarin, les quatre médecins qui avaient été appelés à son chevet avaient été la risée des Parisiens, car ils avaient établi quatre diagnostics différents ! En résumé, le temps de Molière était sombre pour la médecine.

Quant aux marques purement extérieures qui distinguaient les médecins, on peut avancer que des gens qui parcouraient Paris à dos de mule, qui portaient de longues robes sombres, des barbes, et qui parlaient un jargon mystérieux, appelaient manifestement la comédie. Dans *L'Amour médecin*, Molière en mit quatre en scène. Ils portaient des noms que Boileau avait imaginés pour Molière, à l'issue d'un bon repas, en faisant appel au grec. Le premier médecin s'appelait Des Fonandrès, ce qui signifie tueur de gens. Le second, Bahys, qui signifie aboyeur, le troisième Macroton, c'est-à-dire « qui parle lentement » et le quatrième Tomès, le saigneur.

Grand fut le scandale, car le public reconnut immédiatement en eux quatre médecins de la cour : Élie Béda, sieur des Fougerais, Jean Esprit, Guénault et Valot, premier docteur du roi. Quatre ans après cette pièce, ce même Valot tua Henriette, femme du frère du roi, non par une saignée, mais en lui faisant administrer une tisane d'opium qu'il n'aurait pas dû lui prescrire.

Le conseil des quatre charlatans sur la scène déchaînait les rires du public et il n'est pas étonnant qu'après la représentation de *L'Amour médecin* la haine des docteurs pour Molière ait pris des proportions inusitées.

Mais la pièce renfloua sérieusement la caisse du Palais-Royal. Il est vrai qu'à cet égard des pièces d'autres auteurs jouèrent un rôle non moins important. Parmi ces auteurs, il convient de distinguer l'ancien ennemi de Molière, Donneau de Visé, qui était enfin parvenu à écrire une bonne pièce, *La Mère coquette*. Molière se réconcilia avec lui, prit sa pièce pour la mettre en scène, et l'œuvre de de Visé eut du succès.

Le principal espoir résidait cependant dans la pièce de Jean Racine *Alexandre le Grand*. La pièce fut répétée et la première eut lieu sur la scène du Palais-Royal le 4 décembre 1665.

Mais le jeune ami de Molière, Jean Racine, fit une

211

chose qui étonna beaucoup le directeur de la troupe. Au cours de ce mois de décembre, la troupe du Palais-Royal découvrit avec horreur que l'Hôtel de Bourgogne avait commencé à répéter *Alexandre le Grand*, et ce au su de Jean Racine. La Grange, qui jouait le rôle d'Alexandre, apprit qu'il devrait entrer en compétition avec le fameux Floridor, et le directeur du Palais-Royal se prit la tête entre les mains, car il était bien évident que les recettes d'*Alexandre* se ressentiraient de la représentation concurrente de l'Hôtel.

Quand on interrogea Jean Racine sur les raisons qui l'avaient poussé à donner à un théâtre concurrent une pièce qui était déjà en représentation, il répondit que l'interprétation d'*Alexandre* par la troupe du Palais-Royal ne lui plaisait pas, et qu'à son avis la pièce serait plus à sa place à l'Hôtel de Bourgogne.

L'amitié des deux dramaturges s'en trouva comme tranchée au couteau, et Molière haït désormais Racine.

22. *L'atrabilaire amoureux*

« *Et chercher sur la terre un endroit écarté...* »

Le Misanthrope.

Après la trahison de Racine, Molière tomba à nouveau malade et reçut les visites de plus en plus fréquentes de son médecin habituel Mauvillain, qui apparemment ne connaissait pas trop mal son affaire. Mais même Mauvillain avait du mal à déterminer avec précision quelle était la maladie dont souffrait le directeur du Palais-Royal. Le plus juste serait de dire qu'il était malade de partout. Et il ne fait pas de doute qu'à côté de ses souffrances physiques, il était tourmenté par une maladie de l'âme qui se manifestait par des accès persistants d'humeur noire. À ses yeux, tout Paris était enveloppé dans un maussade filet gris. Le malade, qui s'était mis à grimacer et avoir le visage agité de tics, demeurait fréquemment dans son cabinet de travail, hérissé comme un oiseau malade.

Il était très difficile de soigner Molière. Il demandait sans cesse des médicaments, et Mauvillain lui procurait en abondance toutes sortes de drogues, lui fixait des procédures de soins, mais les prescriptions du

213

médecin étaient mal appliquées par le malade. L'hypocondriaque voulait toujours comprendre ce qui se passait en lui, se prenait le pouls et s'inspirait à lui-même de sombres pensées.

En janvier 1666, Racine porta un dernier coup à Molière. La veuve Du Parc déclara qu'elle passait à l'Hôtel de Bourgogne. À l'annonce de cette nouvelle, Molière répondit méchamment qu'il n'était pas surpris et qu'il comprenait très bien que Thérèse-Marquise avait été débauchée par son amant Racine.

Fut-ce grâce aux remèdes de Mauvillain, ou l'organisme se remit-il de lui-même des attaques de la maladie? Toujours est-il qu'à la fin de février Molière recommença à travailler régulièrement à son théâtre. Pendant les mois du printemps, il écrivit une nouvelle pièce intitulée *Le Misanthrope, ou l'Atrabilaire amoureux.* C'était une pièce sur un homme honnête qui protestait contre le mensonge de la vie et qui naturellement se trouvait seul. Le docteur de Molière eût été bien inspiré d'étudier de près cette œuvre où se peignait manifestement l'état d'âme de son patient. Il est d'ailleurs probable que Mauvillain la connaissait.

Bien que considérée par les connaisseurs comme l'une des œuvres les plus fortes de Molière, *Le Misanthrope* n'eut pas un grand succès auprès du public. La première fut assez peu animée. Un spectateur ami de Racine pensa être agréable à celui-ci en lui racontant qu'il avait été à la première et que *Le Misanthrope* avait fait un four. Il convient de noter la réponse que fit à l'envieux ce Racine que Molière haïssait. Il dit :

— Ah! vous y avez été? Moi non. Cependant, je ne vous crois pas. Molière ne peut pas avoir écrit une mauvaise pièce. Allez donc la revoir.

214

Les débuts du *Misanthrope* furent marqués par une histoire qui causa de l'inquiétude à Molière. Nous savons d'ailleurs qu'on peut difficilement concevoir une pièce de Molière sans cela. Les Parisiens à leur habitude se mirent à chercher des portraits dans la pièce et répandirent le bruit que le héros de la pièce n'était autre que le précepteur du dauphin, le duc de Montausier.

Ce bruit parvint tout de suite aux oreilles du duc. Il n'avait aucune idée sur la pièce de Molière mais décida que si Molière l'avait mis en scène ce ne pouvait être que pour le ridiculiser. Il entra en fureur et déclara qu'à la première occasion il battrait Molière à mort avec sa canne. Les menaces du duc furent transmises à Molière par des amis obligeants et provoquèrent chez cet homme dont l'équilibre mental était déjà si perturbé un effroi inimaginable.

Il fit tout pour ne pas se trouver face à face avec Montausier, mais la rencontre inévitable finit par avoir lieu. Quand le roi alla voir *Le Misanthrope*, Montausier se trouva aussi dans la salle. Molière décida de se retrancher dans les coulisses, mais quand la représentation s'acheva, on vint lui dire que le duc de Montausier lui demandait de venir s'entretenir avec lui. La terreur de Molière avait alors pris des proportions maladives et les émissaires étonnés durent lui expliquer que Montausier ne lui voulait aucun mal. Pâle et les mains tremblantes, Molière se présenta devant le duc. Là, sa terreur se mua en étonnement : Montausier l'étreignit et commença de le remercier dans les termes les mieux choisis, lui déclarant qu'il était flatté d'avoir servi d'original pour le portrait d'un homme aussi noble qu'Alceste. Le duc fit au dramaturge force compliments, et dès cet instant adopta à son égard une attitude extrêmement favorable. Le plus intéressant est ici qu'en créant son Alceste, Molière n'avait pas pensé un instant au duc de Montausier.

Cependant, malgré le succès qu'elle avait auprès de la cour et ses grands mérites, la pièce ne faisait pas de grosses recettes au Palais-Royal et les acteurs allèrent voir leur directeur pour lui demander affectueusement d'écrire une nouvelle œuvre en faisant valoir que même *Attila*, la pièce du vieux Pierre Corneille qui se jouait en même temps au Palais-Royal, n'était pas très sûre pour l'avenir.

23. *Le clavecin magique*

Les acteurs obtinrent la nouveauté demandée et le 6 août 1666 fut représentée la nouvelle farce de Molière, *Le Médecin malgré lui*. La farce était charmante, plut beaucoup au public parisien et fit d'excellentes recettes, puisqu'elle rapporta près de dix-sept mille livres dans la saison. Molière déclara, en haussant les épaules, que cette farce était une petite bagatelle et que ce n'est pas aux farces qu'il fallait penser, mais à préparer quelque chose pour les festivités solennelles qui se déroulaient en décembre à Saint-Germain-en-Laye. Il faut ici rappeler un grand événement qui se produisit cette année-là bien avant les festivités et *Le Médecin malgré lui*.

Il y avait à cette époque en France une troupe enfantine qui portait le titre de « Troupe des Comédiens du Dauphin ». Elle était dirigée par madame Raisin, femme de l'organiste Raisin. Cette troupe joua un temps en province, puis fit son apparition à Paris.

Le mari de madame Raisin avait apparemment de grandes capacités inventives qu'il exploita pour construire un clavecin qui pouvait, au choix de Raisin, jouer divers morceaux sans l'intervention de mains humaines : pour ainsi dire, un clavecin magique. Il va de soi que l'instrument enchanté produisit une impression renversante sur le public et ordre fut donné de faire à la cour une démonstration du clavecin dont le roi avait entendu parler. Le résultat fut déplorable : la reine s'évanouit aux premiers sons émis par l'instrument qui jouait tout seul. Le roi, qu'il était manifestement difficile d'étonner par de douteuses merveilles, fit ouvrir l'instrument et là, aux yeux des spectateurs ébahis, on tira du clavecin un garçon recroquevillé, à l'air tout retourné et d'une saleté peu commune qui jouait sur le clavier intérieur.

Le jeune garçon s'appelait Michel Baron. Fils du défunt comédien de l'Hôtel de Bourgogne André Baron, il appartenait à la troupe enfantine de madame Raisin. Les adolescents donnèrent quelques spectacles au Palais-Royal, et il apparut que l'orphelin de treize ans se distinguait par une rare beauté et des dons artistiques comme on n'en avait peut-être encore jamais vus.

Molière fit savoir à tout le monde que c'était la future étoile de la scène française. Il arracha Baron aux mains de madame Raisin et le prit dans sa maison pour faire son éducation. Séparé de sa femme avec qui il n'avait plus aucun lien, si ce n'est les affaires du théâtre et l'appartement commun, le directeur malade et solitaire s'attacha extraordinairement au talentueux enfant. Il le choya comme un fils, s'efforça de corriger son caractère bouillant et insolent, lui apprit l'art théâtral et obtint très vite d'excellents résultats.

La question du séjour de Baron dans la maison de Molière fut compliquée par le fait qu'Armande avait prit l'enfant en grippe. Les raisons de cette attitude n'étaient pas très claires. Il est très possible que cela fût dû pour beaucoup au fait que Molière avait

218

entrepris d'écrire spécialement pour Baron le rôle de Myrtil dans la pastorale héroïque *Mélicerte* qu'il préparait pour les festivités royales de décembre.

Ces fêtes, appelées « Ballet des Muses », commencèrent à Saint-Germain en décembre. Un grand ballet, dont le livret avait été écrit par le spécialiste Isaac de Benserade, eut beaucoup de succès, d'autant que le roi y dansait encore, avec Mademoiselle de La Vallière. Mais quand vint le tour de *Mélicerte*, la pièce ne connut qu'une représentation : Armande et Baron ruinèrent la carrière ultérieure de cette pastorale. Avant même la première, rendue furieuse par le comportement désinvolte de Baron ou par le fait que le petit rôle de la bergère Éroxène la reléguait au second plan, Armande administra une gifle à Baron.

Fier comme un diable, le gamin courut déclarer catégoriquement à Molière qu'il quittait la troupe. Molière pleura presque en le suppliant de rester mais Baron demeura sur sa position et le directeur eut le plus grand mal à obtenir de lui qu'il ne compromette pas la première et qu'il joue au moins une fois le rôle de Myrtil. Baron accepta, joua une fois et eut ensuite l'audace de se présenter au roi pour se plaindre d'Armande et lui demander la permission de quitter la troupe de Molière.

Le roi la lui accorda et Baron retourna à sa condition précédente, c'est-à-dire chez madame Raisin.

Molière en fut profondément affligé. Comme il n'y avait personne pour remplacer Baron dans le rôle de Myrtil, il fallut retirer *Mélicerte* de l'affiche et Molière ébaucha en un temps très court une pastorale vide et insignifiante intitulée *Corydon*, avec des tziganes dansants, des magiciens, des démons et autres personnages du même cru. *Corydon* entra dans le « Ballet des Muses », mais cette œuvre ne fut sauvée que par la délicieuse musique que Lulli composa pour elle.

Outre *Corydon*, Molière apporta aussi aux festivités une comédie-ballet en un acte. *Le Sicilien, ou l'Amour peintre* qui fut jouée le 5 janvier 1667.

Après les fêtes de Saint-Germain, Molière s'alita, très sérieusement malade cette fois-ci : il souffrait d'hémorragies pulmonaires. Ses proches s'inquiétèrent pour de bon et les docteurs lui intimèrent l'ordre de quitter immédiatement la capitale. C'était un judicieux conseil. On l'emmena à la campagne et on le soigna comme il fallait en le gorgeant de lait. Il parvint à être sur pied au mois de juin, de sorte qu'il put rejoindre le théâtre et jouer pendant la saison d'été.

24. *Il ressuscite et meurt*
à nouveau

« *Il est étrange que nos comiques ne puissent se passer du gouvernement. Sans lui, aucun drame ne se dénouerait chez nous.* »

Gogol, *La sortie du théâtre.*

L'année 1667 fut une année importante qui ne ressembla en rien à l'année creuse qui l'avait précédée. Les deux hommes dont je suis la vie, le roi de France et le directeur de la troupe du Palais-Royal, développèrent deux idées au cours de cette année.

L'idée du roi était que sa femme Marie-Thérèse, fille du roi d'Espagne Philippe IV qui était mort deux ans auparavant, possédait un droit d'héritage sur les possessions espagnoles des Pays-Bas. Le roi décida de creuser sérieusement cette idée.

L'idée du comédien du roi était de moindre ampleur mais ne le séduisait pas moins que ne le faisait pour le roi son projet de donner de nouvelles terres à la France. Quand, grâce aux soins qu'il avait suivis, les taches rosâtres suspectes eurent quitté son visage et que ses yeux eurent perdu leur sinistre éclat fiévreux, Molière tira d'une armoire le manuscrit du *Tartuffe* et

221

entreprit de le corriger. Tartuffe fut rebaptisé Panulphe, et Panulphe dépouilla ses vêtements ecclésiastiques pour devenir un laïc. Puis Molière supprima de nombreuses citations des Saintes Écritures, fit tout ce qu'il put pour adoucir les passages délicats et réécrivit le final.

Ce final est remarquable. Quand Tartuffe, ou Panulphe, triomphe déjà après avoir ruiné d'honnêtes gens et quand il semble que rien ne peut plus les sauver, le salut vient cependant, et c'est le roi qui l'apporte. Un vertueux officier de police qui paraît tomber du ciel, non seulement arrête le gredin *in extremis* au moment crucial mais prononce un monologue inspiré dont il ressort que tant que le roi est là les honnêtes gens n'ont pas lieu de s'inquiéter et que les gredins n'échappent pas au regard d'aigle du monarque. Gloire à l'officier de police et gloire au roi ! Sans eux, je ne sais vraiment pas comment monsieur de Molière eût dénoué son *Tartuffe*. De même que je ne sais pas davantage comment, cent soixante-dix ans plus tard, dans ma lointaine patrie, un autre écrivain satirique, malade, aurait dénoué sa pièce assez connue intitulée *Le Révizor*, sans l'arrivée au bon moment d'un gendarme avec une queue de cheval sur la tête, venu de Saint-Pétersbourg.

Ayant achevé ses corrections et les ayant jugées satisfaisantes, l'auteur se mit à décrire des cercles rusés autour du roi. Et celui-ci, qui s'était de son côté élevé à une belle hauteur, se mit à évoluer avec aisance dans les airs, sans perdre des yeux les Pays-Bas qui se trouvaient sous ses pieds. Pendant que les juristes espagnols faisaient la preuve subtile et détaillée que Marie-Thérèse et, par conséquent, le roi Louis XIV n'avaient aucun droit sur les possessions espagnoles, le roi décida que l'affaire traînait trop en longueur et lui fit quitter le plan juridique. Tout était déjà prêt : ses ministres lui avaient garanti l'accord du Portugal, de l'Angleterre et des autres pays, et l'air s'emplit du silence sinistre qui précède habituellement les grands tumultes. Paris s'anima. Les chevaliers somptueusement habillés devinrent soudain sérieux, se mirent à fuir les divertissements et revêtirent leurs manteaux de guerre.

Le directeur de la troupe du Palais-Royal jugea le moment opportun. Il se présenta devant le roi avec un sourire enjôleur, lui montra le manuscrit, lui raconta comment il avait corrigé la pièce. Le roi accorda au comédien un regard bienveillant et, pensant sans doute à quelque chose d'autre, prononça une phrase vague dont il semblait ressortir qu'il n'avait en somme rien contre cette pièce... Les yeux de Molière s'allumèrent, et il disparut de l'antichambre royale.

Le chevalier de Molière fut aussitôt remplacé auprès du roi par le maréchal Turenne, et l'on n'avait pas encore eu le temps en Espagne et aux Pays-Bas de réaliser ce qui se passait que la cavalerie française déferlait sur les Pays-Bas. La guerre commençait.

Loin du bruit des canons, monsieur de Molière et ses comédiens répétaient dans la fièvre *Le Tartuffe* rebaptisé *L'Imposteur*. Le 5 août, jour inoubliable de la première, le public se rua vers le Palais-Royal. La recette atteignit mille neuf cents livres, et le succès fut énorme. Mais le lendemain, un huissier du parlement de Paris se présenta au Palais-Royal et remit à Molière une ordonnance officielle de Guillaume de Lamoignon, premier président du parlement, qui demandait de cesser immédiatement les représentations.

Molière se précipita chez la duchesse d'Orléans, qui

envoya un de ses familiers au président. Celui-ci répondit qu'à son grand regret il ne pouvait rien faire, étant donné que *L'Imposteur* n'avait pas été autorisé par le roi. Alors Molière prit avec lui son fidèle ami Boileau, qui se trouvait en bons termes avec Lamoignon, et alla voir le président. L'accueil de celui-ci fut charmant. Il n'accabla pas l'auteur de reproches d'athéisme, ne lui dit pas que sa pièce était dangereuse mais au contraire paya son tribut au talent de monsieur de Molière en lui adressant force compliments. Lamoignon fut parfaitement courtois, mais refusa catégoriquement à la fin de la conversation l'autorisation de représenter *L'Imposteur*, tant que le roi n'aurait pas tranché cette affaire.

Pour aucune de ses pièces, Molière ne se battit avec autant d'acharnement que pour *Le Tartuffe*. Il fit venir un camarade sûr, son vieil ami et élève La Grange ainsi que le sieur de La Thorillière, leur demanda de prendre une voiture de poste et d'aller immédiatement rejoindre le roi dans son quartier général des Flandres.

La Grange et La Thorillière prirent mille livres et mirent dans une sacoche le long placet à la fin duquel Molière demandait au roi de le défendre contre la fureur des Tartuffes dont l'existence empêche de seulement penser à composer les plus innocentes comédies. Molière assurait aussi le roi que sa pièce ne visait qu'à distraire le monarque au retour de sa glorieuse campagne, à faire sourire celui dont le seul nom faisait trembler toute l'Europe. Molière étreignit La Grange et La Thorillière, et le 8 août, la voiture qui les emportait en Flandre disparut dans les nuages de poussière de la route.

Les mots « Tartuffe » et « L'Imposteur » étaient à

Paris sur toutes les langues, et la nouvelle éclata le 11. Tout Paris se mit à lire le mandement de l'archevêque.

« Étant donné qu'il nous a été rapporté que vendredi, cinquième jour de ce mois, a été représentée dans un théâtre de Paris sous le nouveau titre de *L'Imposteur* une comédie très dangereuse qui est d'autant plus nuisible à la religion que, sous couvert de condamner l'hypocrisie et la feinte dévotion, elle donne prétexte à condamner tous ceux qui font montre de véritable piété... »

À Paris, on s'exclamait, on lisait le mandement, les ennemis de Molière se réjouissaient, les amateurs de théâtre qui n'avaient pu assister à la représentation du 5 s'affligeaient, et l'archevêque écrivait un peu plus loin dans son mandement que, sachant à quel point les offenses à la piété sont graves, surtout à une époque où le grand roi expose sa vie aux périls pour le bien de l'État et où il convient de prononcer d'ardentes prières pour la sauvegarde de sa sainte personne et pour que Dieu lui accorde la victoire, lui, archevêque, interdisait non seulement de représenter, mais aussi de lire ou d'entendre réciter cette comédie, que ce soit en public ou dans des réunions privées, sous peine d'excommunication. L'archevêque enjoignait aux doyens des églises Sainte-Marie-Madeleine et Saint-Séverin de veiller à l'exécution de son ordre.

« Donné à Paris avec notre sceau ce onze août mil six cent soixante-sept. »

Ce mandement pesait d'un poids trop lourd : même les naïfs pouvaient le comprendre, et les Parisiens comprirent que la cause de *L'Imposteur* était perdue. Mais Molière fit encore une tentative pour sauver l'œuvre qui lui était chère. Un de ses amis, ou peut-être un groupe d'amis, fit paraître une lettre qui défendait *L'Imposteur*. En vain.

Paris était devenu odieux à Molière. Il suspendit les représentations au Palais-Royal jusqu'au retour de La Grange et La Thorillière, et gagna le village d'Auteuil, près de Paris, où il loua au sieur de Beaufort un appartement pour quatre cents livres par an. De Beaufort procura à Molière une cuisine, une chambre, une salle à manger, deux pièces en mansarde et le droit de se promener dans le parc. Molière loua en outre pour la somme de vingt écus une chambre pour le cas où l'un de ses amis viendrait lui rendre visite. Il convint avec Armande qu'il prendrait avec lui Esprit-Madeleine et la mettrait dans une pension privée d'Auteuil. Ils se mirent aussi d'accord sur le fait que la cuisinière Laforest (à qui, disait-on à Paris, Molière aurait lu ses nouvelles comédies avant tout le monde pour savoir si elles étaient ou non comiques) viendrait faire à manger les jours où Molière recevrait des invités. Pour le service quotidien, il engagea une servante du nom de Martine. Il emporta avec lui, dans la mansarde d'Auteuil, Plutarque, Ovide, Horace, César et Hérodote, ainsi qu'un traité de physique rédigé par son ami Rohault, avec une dédicace de l'auteur.

Ainsi disparut de Paris l'auteur du *Tartuffe*.

Au demeurant, la chambre prévue pour les amis de passage ne resta pas longtemps vide, et le premier à y faire son entrée fut l'ami véritable et fidèle Claude Chapelle. Il s'y retrancha confortablement en s'entourant de bouteilles de vin. Il consolait ainsi son ancien camarade de classe et se promenait avec lui dans le parc jaunissant du sieur Beaufort. En septembre, quand toutes les feuilles du parc furent devenues jaunes, on vit paraître à Auteuil, encore couverts de la poussière du voyage, La Grange et La Thorillière. Après avoir étreint le directeur, les comédiens-émissaires rapportèrent que le roi se trouvait en bonne santé et que la campagne était victorieuse. Quant au *Tartuffe*, le roi avait accepté avec bienveillance le placet mais avait demandé que l'on attende son retour de la guerre pour régler la question de la représentation.

Le roi avait gagné sa guerre, et monsieur de Molière, qui n'avait pas fait montre de moins d'opiniâtreté dans son combat pour *Le Tartuffe*, avait été vaincu. Il avait ressuscité son Lazare, mais celui-ci n'avait vécu que la soirée du 5 août.

25. *Amphitryon*

Molière n'aimait pas la campagne et la nature. Notre comédien était un véritable homme de la ville, un fils de Paris. Mais les malheurs de sa vie familiale et des années de travail ininterrompu l'avaient usé, de sorte que l'exil d'Auteuil était devenu nécessaire. Il bornait ses relations avec Paris au théâtre et à la cour, et passait les jours sans représentation dans la mansarde d'Auteuil à regarder le parc du sieur Beaufort changer avec les saisons. Chapelle s'était fixé pratiquement à demeure dans le village, et de temps en temps venaient d'autres amis : Boileau et La Fontaine, auxquels se joignaient parfois le comte de Guilleragues, un diplomate grand amateur des œuvres de Molière, et le comte de Jonsac, un ami de Chapelle.

La compagnie se rendait à Auteuil pour arracher Molière à son travail, parler littérature, lire les mauvais vers des autres et composer des épigrammes, notamment sur l'archevêque de Paris Péréfixe. Ces réunions se terminaient d'ordinaire par des soupers dans la chambre de Chapelle, soupers qui étaient très appréciés et en particulier de Jonsac.

Pour l'un de ces soupers, Chapelle avait, on ne sait trop pourquoi, fait double provision de vin. Molière, qui ne se sentait pas bien, ne passa qu'un bref instant avec la joyeuse compagnie, refusa le vin qu'on lui offrait et se retira dans sa chambre. Les autres poursuivirent leur repas jusqu'à trois heures du matin et, vers cette heure-là, s'aperçurent que la vie leur était devenue odieuse. C'était surtout Chapelle qui parlait. Auteuil était depuis longtemps déjà endormi, et il y avait longtemps que les coqs avaient chanté.

— Vanité des vanités, tout n'est que vanité! criait lugubrement Chapelle en agitant un doigt menaçant.

— Nous sommes tout à fait d'accord avec toi, lui répondirent ses compagnons de bouteille, continue, Chapelle!

Chapelle se renversa dessus un verre de vin rouge, ce qui ajouta encore à son désarroi, et poursuivit :

— Oui, mes pauvres amis, tout est vanité! Regardez autour de vous et dites-moi ce que vous voyez?

— Nous ne voyons rien de bon, convint Boileau en jetant un regard plein d'amertume autour de lui.

— La science, la littérature, l'art, tout cela n'est que vanité vide et creuse! criait Chapelle. Et l'amour? Qu'est-ce que l'amour, mes infortunés amis?

— Un leurre, dit Jonsac.

— Rien de plus vrai! répondit Chapelle. Notre vie n'est que chagrin, injustices et malheurs de tous côtés!

Là-dessus Chapelle se mit à pleurer.

Quand ses amis émus l'eurent quelque peu consolé, il lança cet appel enflammé :

— Que faire, amis? Si la vie n'est qu'un trou si noir, qu'attendons-nous pour la quitter! Allons nous noyer de compagnie! Regardez la rivière dehors qui nous appelle.

— Nous te suivons, dirent les amis.

Et tous de ceindre leurs épées et de revêtir leurs manteaux pour aller à la rivière.

Le vacarme s'accrut. La porte s'ouvrit alors et, sur le seuil, parut, emmitouflé dans un manteau, en bonnet de nuit et un bout de chandelle à la main, Molière.

— Que faites-vous ? demanda-t-il.

— Notre vie nous est insupportable, dit Chapelle en pleurant. Adieu, Molière, pour toujours. Nous allons nous noyer.

— C'est un beau projet, répondit tristement Molière. Mais il est mal de votre part de m'avoir oublié. Je vous croyais plus de mes amis.

— Il a raison ! s'écria Jonsac, bouleversé. Nous nous sommes vraiment conduits comme des porcs ! Viens te noyer avec nous, Molière !

Tous les amis embrassèrent Molière et reprirent :

— Allons-y !

— Très bien, allons-y, dit Molière. Mais vous savez, mes amis, qu'il n'est pas bon de se noyer la nuit après le souper, car les gens diront que nous l'avons fait dans les fumées de l'alcool. Ce n'est pas ainsi qu'il faut faire. Allons maintenant nous coucher, dormons jusqu'au matin, et, sur le coup de dix heures, quand nous nous serons lavés et aurons repris un aspect convenable, nous irons à la rivière la tête haute, afin que tout le monde voie que nous nous sommes noyés en véritables philosophes.

— Admirable idée ! s'écria Chapelle, en embrassant Molière derechef.

— Je partage ton avis, dit Jonsac qui s'endormit sans crier gare, la tête entre les verres de vin.

Molière passa une heure à débarrasser, avec l'aide

de Martine et de deux autres domestiques, les futurs noyés de leurs épées, perruques et pourpoints et à leur préparer un lit à chacun. Quand tout fut en ordre, il regagna sa chambre et ne parvenant pas à retrouver son sommeil interrompu resta assis à lire jusqu'au lever du soleil.

Au matin, le suicide collectif fut, on ne sait pourquoi, annulé.

On dit que l'on trouve dans la littérature indienne un récit intéressant mais très inconvenant qui raconte comment un dieu prit l'apparence d'un homme et séduisit en son absence la femme de celui-ci. Quand le mari fut de retour, pour décider lequel était le véritable époux, le tribunal organisa une compétition amoureuse entre les deux prétendants. Naturellement, le dieu en sortit vainqueur.

L'histoire du dieu qui prenait l'apparence d'un homme fut traitée par l'auteur grec Euripide et par le Romain Plaute. Les Français s'intéressèrent aussi à ce sujet et le dramaturge Rotrou écrivit une pièce intitulée *Les Sosies* qui fut jouée en 1636. En empruntant à ces différents auteurs, Molière écrivit, en beaux vers aux rythmes originaux, une comédie qu'il appela *Amphitryon* et qu'il joua pour la première fois le 13 janvier 1668. Elle fut donnée vingt-neuf fois au cours de la saison et fit d'excellentes recettes. Elle fut suivie pour le nombre des représentations par *La Veuve à la mode* de Donneau de Visé qui s'était définitivement rallié au théâtre, *Le Sicilien* de Molière et *Attila* du vieux Corneille. Mais pour ce qui est des recettes, toutes ces pièces demeurèrent loin derrière *Amphitryon*.

Molière, qui, on le sait, avait l'habitude de dédier ses pièces à de hautes personnalités, dédia *Amphitryon* au glorieux Condé, en faisant remarquer au passage que le nom du Grand Condé serait évidemment mieux placé à la tête d'une armée qu'à la tête d'un livre.

Pour saluer le retour de la paix et le rattachement à la France d'une partie de la Flandre, des festivités furent organisées dans les récents jardins de Versailles. Le dramaturge de la cour écrivit une comédie en trois actes et en prose intitulée *George Dandin, ou le mari confondu*. La pièce mettait en scène un bourgeois qui rêvait d'apparentements aristocratiques, épousait une aristocrate et était rendu malheureux par sa femme qui le trompait impudemment.

Quand la pièce fut terminée et son contenu connu, des amis prévinrent Molière qu'un Parisien qui ne manquerait pas de se reconnaître en George Dandin, provoquerait un effroyable scandale et chercherait à se venger d'une manière ou d'une autre. Molière les remercia de leurs avis et dit qu'il trouverait un moyen de réconcilier cet homme avec la pièce. Le soir même, le rusé directeur rencontra au spectacle le bourgeois qui pouvait se reconnaître en Dandin, s'enquit du moment où il aurait un peu de temps libre et lui proposa aimablement de lui faire la lecture de sa nouvelle pièce. Le bourgeois décontenancé déclara qu'il était libre à n'importe quel moment, le lendemain soir par exemple, et sitôt le spectacle terminé se mit en devoir de réunir des invités.

— Viendrez-vous chez moi demain ? disait-il en parcourant Paris de bout en bout. Nous donnons une soirée.

Et il ajoutait d'un air sévère :

— À propos, Molière m'a demandé la permission de lire chez moi sa nouvelle pièce.

Le lendemain, Molière eut toutes les peines du monde à s'approcher de la table, tant il y avait de monde dans le salon du bourgeois. Et de ce temps-là, le maître de maison fut un fervent admirateur de Molière.

Dandin fut suivi à très brève échéance d'une comédie très importante intitulée *L'Avare*. On peut donc affirmer sans crainte que l'air d'Auteuil avait été bénéfique à Molière malade : l'année 1668 fut une année féconde.

Dans les derniers jours de cette année, le 11 décembre, mourut Thérèse-Marquise Du Parc qui s'était illustrée peu auparavant en jouant *Andromaque*, de Racine, à l'Hôtel de Bourgogne. Une ensorcelante danseuse qui était devenue avec la maturité une grande tragédienne, quittait ainsi ce monde. Molière pardonna à la perfide actrice ses trahisons et souhaita la paix à ses cendres.

26. *La grande résurrection*

Qui pourra éclairer les méandres de la vie d'un comédien? Qui m'expliquera pourquoi une pièce qui n'avait pu être représentée en 1664 et 1667, put l'être en 1669?

Au début de cette année, le roi fit venir Molière et lui dit :

— Je vous autorise à jouer *Le Tartuffe*.

Molière porta la main à son cœur, mais se remit aussitôt de cet instant de faiblesse, salua respectueusement le roi et sortit. Il commença immédiatement à répéter. Le rôle de Tartuffe fut confié à du Croisy, Molière jouait Orgon et Hubert, madame Pernelle. La Thorillière était Cléante; La Grange, Valère; Marianne était jouée par madame de Brie et Elmire par Armande.

La première de la pièce ressuscitée, qui s'appelait maintenant *Le Tartuffe, ou L'Imposteur*, eut lieu le 5 février. Dire que la pièce eut du succès serait bien peu. La première du *Tartuffe* fut un événement théâtral à Paris, la recette atteignit le chiffre encore jamais vu de deux mille huit cent soixante livres.

Le jour de la première, Molière adressa une lettre au roi :

« Sire !

« Un fort honnête médecin, dont j'ai l'honneur d'être le malade, me promet et veut s'obliger par-devant notaire de me faire vivre encore trente années, si je puis lui obtenir une grâce de Votre Majesté. Je lui ai dit, sur sa promesse, que je ne lui demandais pas tant, et que je serais satisfait de lui, pourvu qu'il s'obligeât de ne me point tuer. Cette grâce, Sire, est un canonicat de votre chapelle royale de Vincennes, vacante par la mort de... Oserais-je demander encore cette grâce à Votre Majesté le propre jour de la grande résurrection de *Tartuffe*, ressuscité par vos bontés ? Je suis, par cette première faveur, réconcilié avec les dévots ; et je le serais, par cette seconde, avec les médecins.

« C'est pour moi, sans doute, trop de grâces à la fois, mais peut-être n'en est-ce pas trop pour Votre Majesté !

« Et j'attends, avec un peu d'espérance respectueuse, la réponse de mon placet. »

Il s'agissait d'un canonicat pour le fils du docteur Mauvillain.

Le roi fit venir Molière, et les deux hommes demeurèrent en tête à tête comme cela s'était déjà produit quelques années auparavant, après la représentation des trois premiers actes du *Tartuffe*. Le roi regarda Molière et pensa : « Il a tout de même bien vieilli ! »

— Et que vous fait ce médecin ? demanda le roi.

— Sire ! répondit Molière, nous parlons de choses et d'autres. De temps en temps, il me prescrit des remèdes que je ne prends pas, quelle que soit la rigueur de la prescription, et je guéris toujours, Votre Majesté !

Le roi sourit, et le fils du docteur Mauvillain obtint sur-le-champ la place qu'il ambitionnait.

Tartuffe fut représenté trente-sept fois au cours de la saison et quand on fit les comptes il apparut que *L'Avare* avait donné dix mille cinq cents livres, *George Dandin* six mille, *Amphitryon* deux mille cent trente livres, *Le Misanthrope* deux mille, *Rodogune*, de Pierre Corneille, le chiffre bizarre de quatre-vingt-huit livres, et *Le Tartuffe*, quarante-cinq mille.

27. *Monsieur de Pourceaugnac*

Les gens qui avaient vécu avec mon héros quittent l'un après l'autre ce monde.

Vingt jours après la première du *Tartuffe* s'éteignit le vieux père de Molière, Jean-Baptiste Poquelin. Il était bien loin le temps où le comédien débutant épouvantait son père en allant lui demander quelque argent! Vers la fin de la vie du père, tout cela avait changé et le fils célèbre était plus d'une fois venu en aide au vieux Poquelin dans les circonstances difficiles.

Le père disparu, le fils continua à travailler. À l'automne 1669, Louis organisa à Chambord des festivités pour lesquelles Molière composa une comédie-ballet intitulée *Monsieur de Pourceaugnac*.

Pourceaugnac était un gentilhomme limougeaud qui, arrivant à Paris, était raillé et dupé par les Parisiens. On disait dans la capitale, et apparemment à juste titre, que l'original qui avait servi de prétexte à l'incarnation scénique de Pourceaugnac s'y trouvait à cette époque. Un homme était arrivé de Limoges, avait assisté à une représentation du Palais-Royal et avait eu une conduite scandaleuse sur la scène où il était assis. Il s'était querellé avec les acteurs et les avait grossièrement pris à partie, ce qui lui avait valu d'être désigné par Molière à la risée générale. On disait qu'en voyant *Pourceaugnac,* l'hôte de province s'était reconnu et en avait conçu une telle fureur qu'il voulut traduire Molière devant les juges, ce qui ne se produisit d'ailleurs pas.

D'autres prétendaient qu'en représentant sur la scène un Limougeaud ridicule, Molière avait voulu se venger d'avoir été jadis sifflé à Limoges et d'y avoir reçu des pommes sur la tête. C'est bien peu vraisemblable. Molière pouvait-il vraiment vouloir se venger d'une chose qui datait de vingt ans ? Et après tout Limoges n'était pas le seul endroit où il avait reçu des pommes !

Mais les Limougeauds avaient déjà été souvent en butte aux railleries d'autres auteurs que Molière, et ce parce qu'ils se signalaient par de nombreux traits ridicules et frustes qui n'avaient pas manqué de sauter aux yeux des Parisiens à l'esprit observateur et aiguisé. C'est pourquoi les Limougeauds n'avaient pas attendu Molière pour faire leur entrée dans la littérature, affublés de noms de rustauds ridicules.

Depuis ses premières attaques contre les médecins, Molière n'avait cessé de revenir sur ce sujet dans ses comédies, et la faculté de médecine était pour lui une source de comique inépuisable. *Pourceaugnac* eut aussi ses médecins et apothicaires ridicules, mais en outre des juristes de farce : nous voyons que Molière n'avait pas perdu son temps en étudiant la jurisprudence et qu'il utilisait ses connaissances pour railler la chicane.

De l'avis général, la farce était fruste et superficielle, mais drôle. Molière jouait lui-même le rôle de Pourceaugnac, tandis qu'Hubert interprétait le rôle féminin de Lucette, la feinte Gasconne. La première représentation eut lieu devant le roi, le 6 octobre 1669 à

Chambord, et la farce fut ensuite jouée sur la scène du Palais-Royal où elle obtint un beau succès. Elle fit les plus grosses recettes de la saison, battant même *Le Tartuffe* qui était suivi à quelque distance par *George Dandin* et *L'Avare*. Au cours de cette saison, douze des trente pièces qui furent données étaient de Molière.

28. L'Égyptien se transforme en Neptune, Neptune en Apollon et Apollon en Louis

Au début de l'année 1670, le roi décida d'organiser à Saint-Germain-en-Laye des festivités solennelles qui porteraient le nom de « Divertissement royal ».

En conséquence, la troupe royale emmenée par Molière arriva le 30 janvier à Saint-Germain pour y jouer une comédie-ballet en cinq actes, intitulée *Les Amants magnifiques*, dont le sujet avait été fourni à Molière par le roi. Le fastueux spectacle et les intermèdes qui l'entrecoupaient mettaient en scène des princesses, des généraux d'armée, des sacrificateurs, ainsi que des nymphes, tritons, voltigeurs sur des chevaux de bois et même des statues dansantes.

Molière jouait dans *Les Amants* le plaisant de cour Clitidas, et de nombreux courtisans participaient aux numéros de ballet. Assis sur des rochers, ils incarnaient les dieux marins et les tritons : on vit ainsi faire la preuve de leurs talents le comte d'Armagnac, le marquis de Villeroi, Gingan père et fils, ainsi que beaucoup d'autres. Dans le fracas des trompettes et le bruit des conques de perles, surgissait du gouffre marin un Neptune en qui tout le monde reconnut le roi. Puis le roi changeait d'habits au cours du divertissement pour reparaître au dernier intermède envi-

243

ronné de feux de bengale, en dieu-soleil Apollon. Le dieu Apollon dansait sous les murmures d'enthousiasme des courtisans.

Tout se passait au mieux et il semblait que les prochains jours de réjouissances verraient se poursuivre le chœur de louanges qui entouraient le roi, que de délicates poésies fleuriraient en abondance et que les dames soupireraient en racontant à quel point le roi était charmant dans son costume grec. Mais il se produisit un événement tout à fait imprévu qui affecta énormément le sieur de Molière. Au lendemain de la première représentation les échos attendris qui saluaient les danses du roi s'atténuèrent, puis cessèrent complètement. Dans la gazette de la cour, pas un mot pour mentionner que le roi avait pris part au spectacle. Et quelques jours plus tard, les naïfs qui demandaient quelles impressions le roi avait retiré de son apparition sur la scène s'entendaient répondre sèchement par les courtisans haut placés

— Sa Majesté n'a pas participé au spectacle.

L'affaire s'éclaircit bientôt. Immédiatement après la représentation, le roi avait eu connaissance de la tragédie *Britannicus*, que Racine venait d'écrire et qui contenait entre autres les vers suivants, à propos de l'empereur romain Néron :

... À venir prodiguer sa voix sur un théâtre
À réciter des chants qu'il veut qu'on idolâtre.

C'est tout. Mais il avait suffi que Louis XIV lût ce passage pour qu'il mît aussitôt un terme à ses apparitions sur la scène.

— La peste emporte ce Jean Racine ! grinçait Molière, crachant et toussant.

Quand les fêtes de Saint-Germain prirent fin, Molière se plongea dans la préparation de la saison d'été. En avril, le boiteux Louis Béjart quitta la troupe pour prendre sa retraite, après avoir travaillé vingt-cinq années avec Molière. Cela avait commencé quand, tout enfant, il suivait avec Molière les charrettes à bœufs dans la fournaise des routes du Sud et jouait les jeunes valets de comédie. À la fin de son activité théâtrale, il s'était signalé en jouant de magistrale façon « ce chien de boiteux-là » qu'était, selon Harpagon, le rusé valet La Flèche dans *L'Avare*. Louis était fatigué et, au cours d'une réunion solennelle présidée par Molière, la troupe rédigea un acte par lequel elle s'engageait à verser à Louis Béjart une pension viagère de mille livres par an, pendant tout le temps qu'elle continuerait à exister. Et Louis se retira.

Pour compléter la troupe, Molière engagea un couple d'acteurs de province. Jean Pitel, alias Beauval, avait commencé sa carrière comme moucheur de chandelles. Sa femme, Jeanne de Beauval, s'était spécialisée dans l'interprétation des rôles de reine pour la tragédie, et de soubrette pour la comédie. Molière dut déployer beaucoup d'efforts pour enseigner son système aux époux et les débarrasser de leurs manières provinciales.

L'année 1670 devait tout entière se dérouler sous le signe des réjouissances et des festivités ininterrompues données par le roi dans ses diverses résidences. La chaîne de ces réjouissances fut brisée pour un temps par un triste événement : Henriette, la femme du duc d'Orléans, mourut entre les mains du malencontreux docteur Vallot. La cour prit le deuil, le prédicateur Bossuet prononça sur le cercueil de la défunte un discours fleuve, empli de toutes sortes de beautés qui arrachèrent des larmes aux yeux des courtisans. Comme le veut l'étiquette, la tristesse disparut le jour même et les festivités recommencèrent. Les forêts de Chambord résonnèrent du son des cors, et la cour partit pour la chasse. Molière et Lulli — dont la gloire et l'influence ne cessaient de croître à la cour — reçurent l'ordre de composer une comédie avec de la musique pour les fêtes de Chambord, avec obligation d'y introduire des Turcs.

En effet, à l'automne de l'année précédente, le roi avait reçu à Versailles une ambassade turque conduite par un certain Suleiman-Aga. Voici comment les choses s'étaient passées : on avait d'abord fait longuement attendre les Turcs, puis on les avait admis dans la galerie du Nouveau Palais, décorée avec une splendeur surnaturelle. Le roi était sur son trône, revêtu d'un costume qui portait pour quatorze millions de livres de diamants.

Mais le diplomate d'expérience qu'était Suleiman-Aga étonna les Français infiniment plus qu'ils n'avaient espéré l'éblouir lui-même. L'expression de son visage parut montrer qu'en Turquie tout le monde portait des costumes chargés de quatorze millions de livres de diamants. Et les rusés Turcs ne donnèrent d'une manière générale aucun signe d'émoi.

Le roi n'apprécia pas l'attitude de la délégation turque, et les courtisans, habitués à remarquer la plus insignifiante modification de la face royale, passèrent une année à tourner en dérision les Turcs du mieux qu'ils pouvaient. Et c'est pourquoi le compositeur et le dramaturge reçurent l'ordre de faire absolument entrer dans la pièce une scène de turquerie bouffonne. On adjoignit aux auteurs, en qualité de consultant, le chevalier Laurent d'Arvieux, qui avait séjourné en

Orient et qui devait les renseigner sur les mœurs et coutumes de la Turquie. Molière, Lulli et d'Arvieux se retirèrent à Auteuil pour élaborer le plan de la pièce. Il faut dire que Molière y travailla avec un sentiment vague qui était peut-être de l'inquiétude. Il commençait à comprendre que l'essentiel du spectacle résiderait dans la musique et le ballet, et que sa pièce passerait au second plan. Aussi redoutait-il la force et l'influence de Lulli, connaissant l'effet que produisait sur le roi la musique de Giovanni-Baptiste.

C'est ainsi que fut composé *Le Bourgeois gentilhomme*. La pièce mettait en scène un bourgeois nommé Jourdain qui caressait le doux projet de devenir un aristocrate et un membre à part entière de la haute société. L'idée de Molière était puissante et ingénieuse. À côté de monsieur Jourdain se trouvait représenté un marquis nommé Dorante — et l'on pouvait déjà prévoir que l'hostilité des aristocrates envers Molière allait s'accroître dans des proportions considérables : car ce Dorante était un aventurier parfaitement dépourvu d'honneur, et sa chérie, la marquise Dorimène, une personne pour le moins douteuse.

Et qu'était-il advenu des Turcs commandés ? Ils étaient là. Jourdain, mystifié, était élevé à la dignité imaginaire de Mamamouchi. Au son des instruments, devant un Jourdain au crâne rasé, les Turcs entraient en scène. Parmi eux se trouvait un muphti au turban garni de bougies allumées. Pendant la cérémonie, les Turcs se contorsionnaient, tombaient et se relevaient en chantant *Hou, hou, hou*. On faisait mettre Jourdain à genoux les mains par terre, on lui posait un Coran sur le dos et cela continuait dans ce goût-là. Je dois noter que la partie turque de la pièce ne soulève en moi aucun enthousiasme particulier. Je laisse à d'autres le soin de juger ce qu'il peut y avoir d'amusant dans ces huit vers que le muphti adresse à Jourdain. On y trouve des mots portugais, espagnols, italiens et tous les verbes sont, pour une raison indéterminée (sans doute pour faire rire), à l'infinitif :

> Se ti sabir,
> Ti respondir ;
> Se non sabir,
> Tazir, tazir.
> > Mi star mufti,
> Ti qui star si ?
> Non intendir :
> Tazir, tazir.

Bref, je n'adresserai de félicitations ni au chevalier d'Arvieux pour ses conseils, ni à la cour pour sa commande, ni à un Molière las et inquiet pour avoir écrit un intermède qui gâte une belle pièce.

Le Bourgeois fut joué pour la première fois à Chambord le 14 octobre 1670, et, à l'issue de la représentation, Molière fut saisi d'une sourde angoisse : le roi n'avait pas dit un mot sur la pièce. Tandis qu'en sa qualité de valet de chambre, il servait le roi au repas solennel qui suivit le spectacle, Molière était à demi mort. Le silence du monarque n'avait pas tardé à donner de brillants résultats. Il n'y avait plus une seule personne qui n'eût déversé sa ration de critiques sur la pièce de Molière (naturellement, pas en face du roi).

— Expliquez-moi, pour l'amour de Dieu, messieurs, s'exclamait un courtisan, ce que signifie tout ce galimatias, tous ces « galaba, babalalou, et balaba » que crient les Turcs ? Qu'est-ce que cela ?

— Ce sont des billevesées, lui répondait-on, votre

Molière est complètement à court d'inspiration, il serait temps de lui reprendre son théâtre.

Hélas ! Il faut reconnaître que ces « balaba » ne signifient rien et n'ont rien de joyeux.

Le 16 octobre, eut lieu une deuxième représentation, à laquelle le roi était à nouveau présent. À la fin du spectacle, il appela Molière.

— Je voulais vous parler de votre pièce, Molière, commença le roi.

« Vas-y, achève-moi ! » purent lire dans les yeux de Molière toutes les personnes présentes.

— Je ne vous ai rien dit après la première, parce que je n'avais pu encore arrêter un jugement. Vos acteurs jouent trop bien. Mais je vois maintenant que vous avez écrit une pièce admirable, et aucune de vos comédies ne m'a procuré autant de plaisir que celle-ci.

À peine le roi eut-il libéré Molière que tous les courtisans l'entourèrent et couvrirent la pièce d'éloges. On put remarquer que le plus empressé à le louer était celui qui, la veille, avait déclaré son auteur à court d'inspiration ! Voici quelles furent textuellement ses paroles :

— Molière est inimitable ! Je le jure, il y a une force comique extraordinaire dans tout ce qu'il écrit ! Messieurs, il est bien plus fort que les auteurs anciens !

La comédie fut reprise à Chambord, puis à Saint-Germain, et à la fin de novembre Molière la donna au Palais-Royal où son succès rapporta plus de vingt-quatre mille livres pour la saison 1670, la plaçant ainsi en tête des recettes pour cette période. À l'autre extrémité de l'éventail, on trouvait *Le Médecin malgré lui*, qui avait fait entrer dans la caisse la ridicule somme de cent quatre-vingt-dix livres.

Pour l'année 1670, on note encore la mort, dans sa

quatre-vingtième année, de la veuve Béjart, née Hervé, mère de Madeleine, qui avait commis de si étranges actes notariés. Elle était l'une des rares personnes à connaître le secret de la naissance d'Armande, et elle l'emporta dans sa tombe.

Un autre décès arracha également à la troupe de l'Hôtel de Bourgogne la grande des Œillets.

Cette année-là, parut aussi le fameux pamphlet contre Molière intitulé *Élomire hypocondre*. L'auteur de cette œuvre était Le Boulanger de Chalussay. *Élomire* démontait et dénigrait la vie et les activités de Molière. Le seul mot d' « hypocondre » mentionné dans le titre indique à quel point son auteur haïssait Molière, et le contenu prouve qu'il connaissait bien de nombreuses circonstances de la vie du comédien. Ce dernier eut naturellement connaissance de cette œuvre. mais ne répondit rien à son auteur.

J'ai gardé à dessein pour la fin un événement heureux qui se produisit au cours de cette année : à Pâques, Molière vit surgir devant lui après quatre ans de vagabondages en province un Baron de dix-sept ans, robuste et d'une éclatante beauté. Molière le prit immédiatement dans la troupe, en fit un membre à part entière et lui donna le rôle de Domitian dans *Tite et Bérénice* de Pierre Corneille. Cette pièce se plaça, pour le nombre des représentations et l'importance des recettes, au second rang, après *Le Bourgeois*.

29. *Création collective*

Molière reçut du roi l'ordre d'écrire une pièce brillante avec un ballet pour le carnaval de 1671, qui devait avoir lieu aux Tuileries. Molière se mit immédiatement en devoir d'obéir et entreprit d'écrire *Psyché*. À mesure qu'il avançait dans son travail, les atteintes de la maladie se précisaient de plus en plus, les accès d'hypocondrie devenaient de plus en plus fréquents, et Molière comprit qu'il n'achèverait pas la pièce dans les délais. Il décida alors de faire appel à une aide extérieure. Depuis l'époque de la querelle de *L'École des femmes*, ses relations avec Pierre Corneille avaient eu le temps de s'aplanir. Les deux hommes étaient maintenant liés par une aversion partagée pour Racine. L'étoile du vieux Corneille pâlissait, tandis que celle de Racine montait. Racine était joué à l'Hôtel de Bourgogne, et Molière avait mis en scène au Palais-Royal des pièces de Corneille.

Molière proposa à Corneille un travail commun sur *Psyché*, et le vieil homme, qui avait besoin d'argent, accepta volontiers cette offre. Ils se partagèrent ainsi le travail : Molière conçut le plan d'une pièce avec ballet en cinq actes et écrivit le prologue, le premier acte et les premières scènes des actes II et III. Corneille acheva le reste en une quinzaine de jours. Le vieil homme de soixante-cinq ans s'acquitta admirablement de sa tâche. Mais même en conjuguant leurs efforts, les deux dramaturges ne seraient pas parvenus à terminer le travail à temps. C'est pourquoi un troisième homme fut appelé à la rescousse, le poète et dramaturge de talent Quinault, qui écrivit les vers destinés à être chantés.

L'avertissement qui précède cette tragédie-ballet est intéressant. Il stipule avec beaucoup de précaution que, dans ce travail, monsieur Molière s'est moins attaché à l'exacte régularité dramaturgique qu'à la pompe et à la beauté du spectacle. On a dit que cet avertissement était de Molière lui-même.

Psyché fut mis en scène de manière grandiose au palais des Tuileries. Molière reçut les meilleures machines de théâtre et des appareillages complexes pour les vols. Les principaux rôles étaient tenus, pour Psyché par Armande, et pour L'Amour par Baron. Ils firent tous deux montre d'une classe qui éblouit les spectateurs. Mais la première représentation de *Psyché* à la cour, le 17 janvier, fut pour Molière l'occasion d'une nouvelle et cruelle blessure. À Paris naquit et s'implanta solidement la rumeur qu'il ne restait plus rien de l'ancienne inimitié entre Armande et l'insolent gamin qu'avait jadis été Baron ; Armande, tombée amoureuse du bel acteur, était devenue sa maîtresse. Molière, malade et vieillissant, supporta tout cela en silence.

À partir du 15 mars, il entreprit de grands travaux de rénovation au Palais-Royal. Les loges et balcons furent refaits à neuf, le plafond réparé et repeint, la scène équipée de manière à pouvoir recevoir les nouvelles machines de théâtre.

La troupe demanda alors au directeur de monter *Psyche* sur la scène du Palais-Royal. Après avoir longuement hésité, celui-ci décida de le faire, en dépit des difficultés qu'impliquaient l'acquisition et l'installation de nouvelles machines et de décors somptueux. Mais tous ces obstacles furent surmontés, ainsi qu'une autre difficulté qui s'était présentée : avant *Psyché*, les musiciens et les chanteurs ne se montraient jamais au public. Ils jouaient et chantaient, dissimulés dans les loges, derrière des grilles ou des tentures. Moyennant un salaire plus élevé, on persuada les chanteurs et musiciens de se produire sur la scène, devant le public. Les répétitions de *Psyché* durèrent près d'un mois et demi, et la première eut lieu le 24 juillet. Tracas et dépenses furent amplement compensés par le succès du fastueux spectacle. Le public déferla sur le Palais-Royal en vagues tumultueuses, la pièce fut jouée une cinquantaine de fois au cours de la saison et quarante-sept mille livres entrèrent dans la caisse.

Dans l'intervalle entre la représentation de *Psyché* à la cour et la première au Palais-Royal, la troupe de Molière joua avec un succès moyen *Les Fourberies de Scapin*. On vit là une farce grossière indigne de la plume de Molière. Sur quoi a pu se fonder cette opinion ? Mystère. C'est précisément dans cette pièce que s'exprimait magnifiquement le génie comique de Molière, et l'on ne comprend pas le reproche que Boileau fit à son ami de déchoir en flattant les goûts du public, pas plus que la tranchante critique du « sac ridicule où Scapin s'enveloppe ». Boileau se trompe : il s'agit d'une comédie superbement enlevée, que ne parviennent pas à gâter les invraisemblances du dénouement. Les acteurs comiques du Palais-Royal, Molière en tête dans le rôle de Scapin, représentèrent magnifiquement la farce (les amants Octave et Léandre étaient joués par Baron et La Grange).

Molière n'eut pas de repos de toute cette année. Il reçut une nouvelle commande du roi. Il devait y avoir à la fin de l'année des fêtes à Saint-Germain, à l'occasion du mariage du Frère Unique du roi. Molière écrivit à la hâte une comédie appelée *La Comtesse d'Escarbagnas*, où il utilisa les observations qu'il avait faites sur les milieux provinciaux. La comédie plut à la cour, principalement en raison de l'intermède et du ballet qui s'y trouvaient.

30. *Scènes dans un parc*

Le parc d'Auteuil. L'automne. Les feuilles bruissent sous les pas. Deux hommes marchent dans l'allée. Le plus âgé s'appuie sur une canne, est agité de toussotements et de tics nerveux. L'autre, plus jeune, a le visage rosé d'un homme qui apprécie le bon vin. Il sifflote et chantonne machinalement :

— Mironton, mironton, mirontaine...

Ils prennent place sur un banc et parlent de choses et d'autres ; le plus jeune, quarante-six ans, raconte que la veille il est tombé à bras raccourcis sur son valet, parce que ce valet est un coquin.

— Peut-être, mais hier il n'était pas ivre, dit le plus vieux.

— Baliverne ! s'écrie le cadet. C'est un coquin, je le répète !

— Sans doute, sans doute, réplique l'aîné d'une voix sourde. Je voulais simplement dire que c'est un coquin qui ne boit pas.

Dans le parc d'Auteuil, le ciel d'automne est transparent.

Au bout de quelque temps, la conversation devient animée et l'on peut voir de la fenêtre de la maison que l'aîné s'acharne à dire quelque chose au plus jeune, qui ne lui fait que de rares réponses.

Le plus vieux dit qu'il ne peut pas l'oublier, qu'il ne peut pas vivre sans elle. Puis il maudit sa vie et déclare qu'il est malheureux.

C'est vraiment une terrible chose que d'être pris pour confident des secrets d'autrui, et surtout des secrets conjugaux ! Le plus jeune s'agite, mal à l'aise.. Oui, il a pitié de son aîné ! Et de plus, il a vraiment envie de vin. Enfin il se décide à réprouver prudemment la femme sans laquelle son aîné ne peut vivre. Il ne dit rien de définitif, il ne fait qu'effleurer certains points sensibles... Il évoque au passage l'histoire de *Psyché*... Dieu le préserve d'oser dire quelque chose sur Armande et... Baron. Mais d'une manière générale...

— Permets-moi d'être franc ! s'écrie-t-il enfin. Tout cela est absurde ! Tu ne peux pas, à ton âge, revenir à une femme qui... encore une fois excuse-moi, mais elle ne t'aime pas.

— Elle ne m'aime pas, répète l'aîné d'une voix sourde.

— Elle est jeune, coquette et, pardonne-moi... vaine.

L'aîné répond d'une voix sifflante :

— Continue, dis tout ce que tu veux, je la hais.

Le plus jeune lève les bras au ciel, pense : « Le diable seul peut s'y retrouver dans cette histoire ! Tantôt il l'aime, tantôt il la déteste !... »

— Tu sais, je mourrai bientôt, dit l'aîné.

Et il ajoute d'un air mystérieux :

— Tu connais la gravité de mon mal !

« Seigneur, que suis-je allé faire dans ce parc ? » pense le plus jeune. Et il lance à voix haute :

— Ne dis donc pas de bêtises ! Moi aussi, je ne me sens pas très bien...

— J'ai cinquante ans, ne l'oublie pas ! répond l'aîné d'une voix menaçante.

Le plus jeune s'anime :

— Mon Dieu, hier tu en avais quarante-huit. Il n'est pas possible qu'un homme ait d'un seul coup deux ans de plus simplement parce qu'il a du vague à l'âme.

— C'est elle que je veux, répète l'aîné d'une voix monocorde. Je veux retourner dans la rue Saint-Thomas.

— Au nom de tout ce qu'il y a de saint, je t'en prie, ne reste pas dans ce parc ! Il fait frais. Après tout, cela m'est égal. Bon, essaie toujours de te raccommoder avec elle. Mais je sais très bien qu'il n'en sortira rien de bon.

Les deux hommes regagnent la maison. L'aîné disparaît derrière la porte.

— Couche-toi, Molière ! lui crie le plus jeune.

Il demeure quelques instants sur le seuil, pensif. Une fenêtre s'ouvre et laisse paraître la tête de l'aîné, sans perruque, en bonnet de nuit.

— Chapelle, tu es là ? demande l'homme, de sa fenêtre.

— Oui ! répond le cadet.

— Qu'en penses-tu, je retourne chez elle ? interroge l'homme.

— Ferme la fenêtre ! dit le plus jeune, en serrant les poings.

La fenêtre se ferme, le plus jeune crache et disparaît derrière le coin de la maison. Au bout de quelque temps, on l'entend qui appelle son valet :

— Eh ! toi, l'abstinent, viens ici !

Le lendemain, le soleil est encore plus fort. On ne se croirait pas en automne. Le plus vieux marche dans l'allée, mais il ne se traîne plus, n'enfonce plus sa canne dans les feuilles qui pourrissent. À côté de lui, se tient un homme beaucoup plus jeune. Il a un nez long et pointu, un menton carré et des yeux ironiques.

— Molière, dit-il, vous devez quitter la scène. Croyez-moi, il n'est pas bien que l'auteur du *Misanthrope* soit un... misanthrope. C'est très sérieux ! Il est impensable que cet homme se barbouille la figure et fourre quelqu'un dans un sac pour amuser le parterre. Il ne vous sied pas d'être acteur. Croyez-moi, il est fâcheux que vous jouiez.

— Cher Boileau, répond l'aîné, je n'abandonnerai pas la scène.

— Vous devriez vous satisfaire de ce que vous rapportent vos œuvres !

— Elles ne me rapportent rien, répond l'aîné. Je n'ai jamais de ma vie écrit quoi que ce soit qui ait pu me procurer la plus infime satisfaction.

— Quel enfantillage ! s'écrie le plus jeune. Laissez-moi vous dire une chose : quand le roi m'a demandé qui était le premier auteur du royaume, j'ai dit que c'était vous, Molière !

L'aîné rit, puis dit :

— Je vous remercie du fond du cœur, vous êtes un véritable ami, Despréaux, et je vous promets que si le roi me demande qui est le premier poète, je dirai que c'est vous.

— Je parle sérieusement ! s'exclame le plus jeune, et sa voix se perd dans le parc splendide et vide du sieur de Beaufort.

31. *Madeleine s'en va*

Au début de l'hiver 1671, Molière se réconcilia avec sa femme, et quitta Auteuil pour retourner à Paris. Il achevait à cette époque *Les Femmes savantes*, pièce qui ne lui avait pas été commandée mais qu'il avait écrite pour lui-même. Il y travaillait par à-coups, la quittant puis la reprenant.

Pendant qu'il écrivait *Les Femmes savantes*, dans une petite chambre en haut de cette maison qu'il partageait avec Armande, Madeleine Béjart était gravement malade. Elle avait déjà quitté le théâtre et ses derniers mots sur la scène avaient été ceux de Nérine dans *Monsieur de Pourceaugnac* qu'elle jouait pour la dernière fois :

— Quoi ! tu ne te souviens mie de chette pauvre ainfain, no petite Madelaine, que tu m'as laichée pour gaige de ta foi ? Venez, Madelaine, me n'ainfain, venez-ves-en ichy faire honte à vo père de l'impudainche qu'il a... Tu ne te sauveras mie de mes pattes ; et, dépit de tes dains, je ferai bien voir que je sis ta femme, et je te ferai pindre.

En quittant le théâtre, Madeleine avait aussi renoncé au monde : elle était devenue d'une piété

259

surprenante, passait tout son temps à prier et à déplorer ses péchés, ne parlait plus qu'à un prêtre ou à son notaire. En janvier 1672, son état devint critique. Elle demeurait couchée, totalement immobile dans son lit à la tête duquel était accroché un crucifix.

Le 9 janvier, elle dicta son testament par lequel elle léguait tout le bien qu'elle avait accumulé au cours de sa vie à Armande, et laissait une petite pension à Geneviève et Louis. Elle s'occupa également de tout le reste, commanda des messes pour le repos de son âme et ordonna que l'on distribue chaque jour cinq sous à cinq pauvres en l'honneur des cinq plaies de Notre-Seigneur. S'étant ainsi préparée à la mort, elle fit venir Armande et Molière et, au nom de ce même Seigneur, les adjura de vivre en paix.

Le 9 février 1672, un ordre du roi appela sans délai la troupe à Saint-Germain, où au milieu du mois, un messager vint informer Molière que Madeleine était au plus mal. Le comédien rejoignit Paris en toute hâte et arriva à temps pour fermer les yeux de sa première compagne et la mettre en terre. L'archevêque de Paris autorisa que Madeleine fût inhumée selon le rite chrétien parce qu'elle avait abandonné le métier de comédienne et était connue comme une femme dévote. Et après la messe à Saint-Germain-l'Auxerrois, Madeleine rejoignit solennellement au cimetière de l'église Saint-Paul son frère Joseph et sa mère Marie Hervé.

Madeleine mourut le 17 février 1672, et, moins d'un mois plus tard, eut lieu au Palais-Royal la première des *Femmes savantes*. Les Parisiens les plus intelligents placèrent la pièce très haut, au niveau des plus puissantes œuvres de Molière. D'autres critiquèrent violemment l'auteur qui, selon eux, humiliait la femme en voulant montrer que son instruction ne devait pas s'étendre au-delà de la cuisine.

La pièce raillait deux personnages vivants : l'ennemi de Boileau, le docteur en théologie François Cotin, auteur de *La Satire des satires*, et notre vieille connaissance, Gilles Ménage. Le premier était représenté par Trissotin, le second par Vadius.

Pendant que les comédiens jouaient au Palais-Royal, avec un succès moyen, *Les Femmes savantes*, une nuée d'orage plana soudain sur le pays et creva le 7 avril avec la guerre contre les Pays-Bas. Comme elle l'avait fait cinq ans auparavant, l'armée française se rua vers l'est et les unes après les autres les villes tombèrent, vaincues par sa puissance.

Loin du tumulte de la guerre, notre Jean-Baptiste de Molière s'occupait de ses affaires personnelles. C'était maintenant un homme aisé, qui avait amassé de confortables ressources au cours de son activité sur la scène. En outre, l'héritage de Madeleine Béjart l'avait enrichi. Il loua dans la rue de Richelieu un grand appartement qu'il aménagea somptueusement sans regarder à la dépense. Le rez-de-chaussée fut affecté à Armande, et Jean-Baptiste s'installa au-dessus. Quand tout fut terminé et que chaque chose eut trouvé sa place dans le nouveau logement, Molière s'aperçut que l'humeur mélancolique d'Auteuil l'avait suivi à Paris. Les angoisses et les pressentiments vinrent s'installer avec lui dans les pièces du haut.

L'année 1672 s'annonçait mal. Lulli, qui était en extraordinaire faveur auprès de la cour, avait reçu un privilège pour toutes les œuvres dramatiques dont il avait écrit la musique. Cela signifiait qu'il avait un droit d'auteur sur de très nombreuses pièces de

Molière, du fait qu'elles contenaient des musiques qui lui étaient dues.

Un frisson parcourut le dos de Molière : inutile de se leurrer, le roi était en train de l'abandonner. Le médiocre musicien Lulli, qui ne s'embarrassait pas de grandes idées et qui était tout entier soumis à la volonté du roi, s'était acquis les bonnes grâces de Louis.

L'été fut sombre. Le mari et la femme s'étaient rapprochés l'un de l'autre, Armande attendait un enfant, mais le fond de leurs relations n'avait pas changé et il ne faisait maintenant plus aucun doute qu'il ne changerait jamais. Le 15 septembre, Armande mit au monde un garçon que l'on se dépêcha de baptiser et qui fut prénommé Pierre-Jean-Baptiste-Armand, mais l'enfant ne vécut pas un mois. Quand l'hiver arriva, Molière s'enferma dans l'appartement du dessus et se mit à écrire une comédie intitulée *Le Malade imaginaire*. Pour ne pas dépendre de Lulli, il en confia la musique à un autre compositeur, Charpentier.

Dans cette comédie, Molière moquait la plus irraisonnable des passions qui habitent les hommes : la peur de la mort et la misérable obsession de la maladie. Sa haine des médecins avait pris des proportions extraordinaires, et les docteurs de la pièce étaient de véritables monstres : ignorants, encroûtés dans la routine, cupides, demeurés.

Le prologue que Molière avait imaginé pour cette pièce montre qu'il avait essayé de rentrer dans les bonnes grâces du roi :

« Après les glorieuses fatigues et les exploits victorieux de notre illustre monarque, il est bien juste que tous ceux qui se mêlent d'écrire travaillent ou à ses louanges, ou à son divertissement. C'est ce qu'ici l'on a voulu faire ; et ce prologue est un essai des louanges de ce grand prince, qui donne entrée à la comédie du *Malade imaginaire*, dont le projet a été fait pour le délasser de ses nobles travaux. »

On devait voir dans le prologue des divinités mythologiques — Flore, Pan, des faunes — et le chœur qui le terminait devait chanter :

> ... Et faisons aux échos redire mille fois
> LOUIS est le plus grand des rois ;
> Heureux, heureux qui peut lui consacrer sa vie !

Mais il arriva quelque chose d'étrange, et ce prologue ne fut pas représenté. Soit que le bonheur des armes ait précisément à cette époque abandonné le roi, et que le prologue ait dû être supprimé pour ne pas rendre un son moqueur, soit que le roi ait cessé de s'intéresser à l'œuvre de son comédien... Toujours est-il que la pièce ne fut pas donnée à la cour, mais au Palais-Royal, et les divinités mythologiques furent remplacées par une bergère qui chantait un nouveau prologue où l'on trouvait les mots suivants :

> Votre plus haut savoir n'est que pure chimère,
> Vains et peu sages médecins ;
> Vous ne pouvez guérir, par vos grands mots latins,
> La douleur qui me désespère.
> Votre plus haut savoir n'est que pure chimère.

Le vendredi 10 février 1673 eut lieu la première du *Malade imaginaire*, qui fut un gros succès. Il en fut de même à la deuxième et à la troisième représentation. La quatrième était fixée pour le 17 février

32. *Mauvais vendredi*

Argan : *N'y a-t-il point quelque danger à contrefaire le mort ?*

Toinette : *Non, non. Quel danger y aurait-il ? Étendez-vous là seulement.*

Le Malade imaginaire.

C'était un jour gris de février. Au premier étage d'une maison de la rue de Richelieu toussant et geignant, un homme en robe de chambre vert émeraude qu'il avait revêtue par-dessus son linge de corps arpentait le tapis usé de son cabinet de travail. Les bûches brûlaient joyeusement dans la cheminée, et le spectacle du feu distrayait agréablement le regard du jour trouble de février que l'on apercevait par la fenêtre.

L'homme faisait les cent pas dans son cabinet, en s'arrêtant de temps en temps pour examiner une estampe fixée à côté de la fenêtre. On y voyait un homme au visage rude de faucon, aux yeux bombés, sévères et intelligents, coiffé d'une perruque dont les boucles épaisses et serrées tombaient sur des épaules viriles. Sous l'image de l'homme se trouvaient des armoiries — un bouclier avec trois fleurs sur champ.

L'homme en robe de chambre se parlait à lui-même à voix basse, et, de temps à autre, ses pensées faisaient naître sur son visage un sourire mordant. Quand il passait devant le portrait, son expression se radoucissait, il portait une main en visière à son front et contemplait l'image en clignant des yeux.

— Une bonne estampe, dit-il pensivement, — je dirai même une très bonne estampe... Le Grand Condé! prononça-t-il sur un ton significatif, et il répéta stupidement plusieurs fois : Le Grand Condé... le Grand Condé... Puis il marmonna : estampe... estampe... je suis content d'avoir acquis cette estampe...

Puis il traversa la pièce, s'assit dans un fauteuil près de la cheminée et y resta quelque temps, tendant vers les flammes vivifiantes ses pieds nus débarrassés des pantoufles qu'il portait.

— Il faudrait que je me rase, dit-il pensivement en passant la main sur sa joue rugueuse. Non, ce n'est pas la peine, c'est trop épuisant de se raser chaque jour, se répondit-il à lui-même.

S'étant réchauffé les pieds, il remit ses pantoufles, se dirigea vers la bibliothèque et s'arrêta devant les étagères où s'amoncelaient des piles de manuscrits. Un feuillet dépassait un peu de l'étagère. L'homme tira à lui le manuscrit par un coin et lut le mot *Corydon* placé en en-tête. Avec un rictus féroce, il voulut déchirer le manuscrit, mais ses mains le trahirent, il se cassa un ongle et, en jurant, jeta le manuscrit au milieu des bûches qui flambaient dans la cheminée. L'espace de quelques secondes, la pièce s'emplit de lumière, puis *Corydon* se désagrégea en morceaux noirâtres.

Pendant qu'en haut l'homme en robe de chambre

brûlait *Corydon*, dans l'appartement du bas Armande parlait avec Baron, qui était venu voir Molière.

— Il n'est pas allé à l'église, il a dit qu'il n'était pas bien, racontait Armande.

— Pour quoi faire, à l'église ? demanda Baron.

— On est le 17 aujourd'hui, l'anniversaire de la mort de Madeleine, expliqua Armande. Je suis allée entendre la messe.

— Ah, oui, c'est vrai, dit poliment Baron. Il tousse ?

Armande regarda son interlocuteur. Sa perruque blonde tombait en deux flots sur ses épaules. Il avait un nouveau pourpoint, de coûteux canons de dentelle à ses genoux, son épée était accrochée à une large bandoulière et sur sa poitrine pendait un manchon de fourrure. De temps en temps, Baron louchait vers le manchon, qui lui plaisait décidément beaucoup.

— Vous êtes vraiment splendide, aujourd'hui ! dit Armande, et elle ajouta : il tousse et il a passé la matinée à s'en prendre aux domestiques. Je l'avais déjà remarqué, le vendredi est son plus mauvais jour. D'ailleurs, en onze ans, j'ai trop vu de vendredis. Mais allez le voir en haut, ne restez pas là avec moi sinon les domestiques vont encore répandre dans Paris Dieu sait quels bruits.

Armande et Baron se dirigèrent vers l'escalier intérieur. Mais avant qu'ils aient eu le temps de monter, une clochette se mit à sonner avec impatience à l'étage au-dessus.

— Ça recommence, les drelin-drelin, dit Armande.

La porte du haut s'ouvrit et l'homme en robe de chambre parut sur le palier.

— Hé, qui est là ? demanda-t-il d'un ton hargneux. Pourquoi diable toujours... Ah, c'est vous ? Bonjour, Baron.

Baron leva les yeux.

— Bonjour, maître, répondit-il.

— Oui, oui, oui, bonjour, dit l'homme en robe de chambre. Je voudrais vous parler...

Il appuya ses coudes sur la rampe et plaça son visage entre ses mains : dans cette attitude, il avait tout à fait l'air grotesque d'un singe en bonnet de nuit qui regarde à une fenêtre. Armande et Baron, étonnés, comprirent qu'il voulait parler là, dans l'escalier, et restèrent où ils étaient. Après un silence, l'homme commença :

— Voilà ce que je voulais vous dire : si ma vie... si au cours de ma vie les malheurs et les plaisirs s'étaient répartis en parts égales, je me considérerais vraiment comme un homme heureux, mes amis !

Le front plissé par l'attention, Armande gardait les yeux levés. Elle n'avait plus aucune envie de monter. « Le vendredi, le vendredi, pensa-t-elle. Encore son hypocondrie... »

— Pensez un peu, poursuivit l'homme d'une voix pathétique. S'il n'y a jamais une seule minute de joie ou de satisfaction, que se passe-t-il ? Et je vois bien que je dois quitter la scène ! Je vous assure, mes chers, que je ne peux plus me battre avec les ennuis. Non ? Et d'ailleurs je pense que je n'en ai plus pour longtemps. Qu'en dites-vous, Baron ?

En prononçant ces derniers mots, l'homme avait complètement passé la tête par-dessus la rampe.

Silence dans l'escalier. Baron n'avait pas du tout aimé les paroles de l'homme. Il fronça les sourcils, jeta un regard furtif à Armande et dit :

— Je pense, maître, que vous ne devriez pas jouer aujourd'hui.

— Oui, appuya Armande, ne joue pas aujourd'hui, tu n'es pas bien.

Un grognement lui répondit d'en haut.

— Que me dites-vous là? Comment peut-on annuler une représentation? Je ne veux pas que les ouvriers me maudissent parce que je les aurai privés de la paye de la soirée.

— Mais si tu ne te sens pas bien? dit Armande d'une voix désagréable.

— Je me sens admirablement bien, s'entêta l'homme. Mais je voudrais bien savoir qu'est-ce que c'est que toutes ces nonnes qui se promènent dans l'appartement?

— Ne fais pas attention, elles viennent du couvent de Sainte-Claire pour demander l'aumône à Paris. Tu peux bien leur laisser jusqu'à demain, elles resteront en bas et ne te gêneront pas.

L'homme eut un air étonné:

— Sainte-Claire? Sainte-Claire? Pourquoi de Sainte-Claire? Si elles viennent de Sainte-Claire, elles n'ont qu'à rester dans la cuisine. On dirait qu'elles sont cent dans la maison! Donne-leur cinq livres.

Et là-dessus, il regagna brusquement son appartement et ferma la porte derrière lui.

— Je vous le dis, c'est vendredi aujourd'hui, dit Armande. Il n'y a rien à y faire.

— Je vais monter le voir, répondit Baron d'un air indécis.

— Je ne vous le conseille pas, dit Armande. Allons plutôt manger.

Le soir, sur la scène du Palais-Royal, les docteurs grotesques en bonnets noirs et les apothicaires à clystères recevaient dans l'ordre des médecins le bachelierus Argan :

> Mais si maladia
> Opiniatra
> Non vult se garire
> Quid illi facere ?

Et Molière-bachelierus s'écriait joyeusement en réponse :

> Clysterium donare
> Postea saignare
> Ensuita purgare
> Resaignare, repurgare et reclysterisare

Deux fois déjà le bachelierus avait juré fidélité à la faculté de médecine, mais quand le président lui demanda pour la troisième fois de jurer

> De non jamais te servire
> De remediis aucunis
> Quam de ceux seulement doctae facultatis
> Maladus dût-il crevare
> Et mori de suo malo ?

le bachelierus ne répondit rien, poussa un gémissement et s'écroula dans le fauteuil. Sur la scène, les acteurs tressaillirent, hésitèrent : ils ne s'attendaient pas à un jeu de scène de ce genre, et le gémissement avait eu l'air naturel. Mais le bachelierus se leva, se remit à rire et cria :

> Juro !

Le parterre n'avait rien remarqué, et seuls quelques acteurs s'étaient aperçus que le visage du bachelierus avait changé de couleur et que son front s'était couvert de sueur. Les chirurgiens et les apothicaires finirent leurs entrées de ballet et le rideau tomba.

— Que vous est-il arrivé, maître? demanda alarmé, La Grange-Cléante.

— Rien du tout, répondit Molière. J'ai simplement eu un élancement dans la poitrine, mais cela a tout de suite passé.

La Grange partit compter la recette et s'occuper de choses et d'autres dans le théâtre. Baron, qui n'avait plus rien à faire, alla voir Molière qui se changeait dans sa loge.

— Vous vous êtes senti mal? demanda-t-il.

— Comment le public a-t-il accueilli le spectacle? répondit Molière.

— Splendide! Mais vous avez mauvais air maître.

— J'ai très bon air, répondit Molière, mais je ne sais pas pourquoi, je me sens un soudain froid.

Et il se mit à claquer des dents.

Baron lui jeta un regard scrutateur, pâlit, ouvrit la porte de la loge et cria :

— Holà, y a-t-il quelqu'un? Qu'on m'amène ma chaise, vite !

Il ôta son manchon et intima à Molière l'ordre de s'en couvrir les mains. Le directeur, qui était devenu étrangement calme, obéit sans mot dire et recommença à claquer des dents. L'instant suivant, on l'enveloppa dans son manteau, les porteurs le placèrent dans la chaise et l'emmenèrent chez lui.

L'appartement était plongé dans l'obscurité, car Armande venait juste de revenir du spectacle, où elle jouait Angélique. Baron lui murmura que Molière n'était pas bien. On se mit à courir avec des bougies dans la maison et Molière fut transporté à l'étage. En bas, Armande donna ses directives et envoya un domestique chercher un docteur.

Pendant ce temps, avec l'aide d'une servante, Baron déshabillait Molière et le mettait au lit. Il était de plus en plus inquiet.

— Voulez-vous quelque chose, maître ? Du bouillon, peut-être ?

Molière eut un rictus et dit avec une sorte de joie féroce :

— Du bouillon ? Merci ! Je connais les ingrédients qu'y met ma femme, pour moi c'est pire que de l'acide.

— Voulez-vous boire votre médicament ?

Molière répondit :

— Non, non. J'ai peur des médicaments qu'il faut absorber. Faites en sorte que je puisse dormir.

Baron se tourna vers la servante et lui ordonna en un murmure :

— L'oreiller de houblon, vite !

La servante revint un instant plus tard avec un oreiller bourré de houblon qui fut glissé sous la tête de Molière.

Le malade eut une quinte de toux, et son mouchoir se couvrit de sang. Baron approcha une bougie de son visage et vit que le nez de Molière était pincé, que des ombres étaient apparues sous ses yeux et que son front s'était couvert d'une fine sueur.

— Attends ici, murmura-t-il à la servante.

Il se rua dans l'escalier et se heurta en bas à Jean Aubry, fils du Léonard Aubry qui avait pavé les fossés de Nesle pour accueillir les illustres carrosses. Jean Aubry était le mari de Geneviève Béjart.

— Il est très mal, monsieur Aubry, chuchota Baron. Courez chercher un prêtre, vite !

Aubry poussa un gémissement, enfonça son chapeau sur ses yeux et sortit en courant de la maison. Armande parut au bas de l'escalier, une bougie à la main.

— Madame Molière, dit Baron, envoyez encore quelqu'un chercher le prêtre, vite !

Armande lâcha la bougie et disparut dans la pénombre, tandis que Baron demeurait dans l'escalier et sifflait entre ses dents : « Le diable les emporte, qu'attendent les médecins pour venir ? »

Il monta les marches quatre à quatre pour regagner l'étage.

— Que voulez-vous, maître ? demanda-t-il à Molière en lui essuyant le front de son mouchoir.

— Du fromage ! répondit Molière. Du parmesan.

— Du fromage ! cria Baron à la servante qui posa la bougie sur le fauteuil et sortit en courant de la chambre.

— Dites à ma femme qu'elle monte me voir, commanda Molière.

Baron descendit les marches quatre à quatre et appela :

— Qui est là ? Donnez davantage de lumière ! Madame Molière !

Des mains tremblantes allumèrent des bougies. En haut, Molière se raidit de tout son corps, eut un soubresaut et le sang jaillit de sa gorge, inondant les draps. Il fut d'abord pris de peur, puis ressentit un étrange soulagement et se prit même à penser : « C'est bien ainsi... » Puis l'étonnement l'envahit : à la place de sa chambre il voyait la lisière d'une forêt et un cavalier noir qui essuyait le sang de sa figure et s'efforçait de se dégager de dessous son cheval blessé à la patte. Le cheval se débattait et écrasait le cavalier. Des mots parfaitement inexplicables dans cette chambre parvinrent à ses oreilles :

— Chevaliers ! À moi ! Soissons est mort !

« La bataille de Marfée, pensa Molière. Et le cavalier écrasé par son cheval, c'est le sieur de Modène, le premier amant de Madeleine... Le sang coule en rivière de ma gorge, j'ai donc une veine qui a éclaté... »

Le sang commençait à l'étouffer, il se mit à remuer la mâchoire inférieure. De Modène disparut et à sa place Molière vit le Rhône, dans une lumière de fin du monde : la boule pourpre du soleil s'enfonçait dans les eaux aux accents du luth et l'Empereur d'Assoucy.

« C'est idiot, pensa Molière, que viennent faire ici le Rhône et le luth ? C'est simplement que je meurs... »

Il se demanda avec curiosité à quoi pouvait bien ressembler la mort, et la vit tout de suite. Elle était entrée dans la chambre, coiffée d'une cornette de nonne et avait immédiatement fait un grand signe de croix au-dessus de Molière. Poussé par une grande curiosité, il voulut la voir de plus près, mais ne vit plus rien.

Pendant ce temps, tenant à la main deux chandelles qui inondaient l'escalier de lumière, Baron escaladait les marches suivi par Armande qui se hâtait derrière lui en relevant la traîne de sa robe. Elle tirait par le bras une fillette aux joues rondes et lui chuchotait :

— N'aie pas peur, Esprit, on va voir ton père !

En haut s'élevaient les hideuses litanies funèbres de la nonne. En entrant dans sa chambre, Armande et Baron la virent, les mains jointes dans la prière.

« Sainte Claire... » pensa Armande, et elle vit le lit et

Molière lui-même inondés de sang. La fillette prit peur et éclata en sanglots.

— Molière? dit Armande d'une voix tremblante, d'une voix qu'on ne lui avait jamais entendue.

Mais elle ne reçut pas de réponse.

Baron jeta presque les chandelles sur la table, bondit à travers les marches, dévala l'escalier, heurta de front un domestique et rugit :

— Où es-tu allé te traîner? Où est le docteur, andouille!!!

Et le valet répondit d'un air désespéré :

— Monsieur de Baron, que puis-je y faire? Pas un ne veut venir chez monsieur de Molière! Pas un!

33. *Tu es terre*

La maison tout entière était plongée dans une douloureuse perplexité, qui s'était même communiquée aux nonnes mendiantes : après s'être recueillies quelques instants sur la dépouille mortelle de Molière que l'on avait lavé et couvert, elles ne savaient absolument plus que faire. Car la terre ne voulait pas accueillir le corps de monsieur Molière.

La veille, Jean Aubry avait vainement supplié les prêtres de la paroisse Saint-Eustache, Lenfant et Lechat, de venir assister le mourant. Les deux avaient refusé tout net. Un troisième, nommé Paysant, avait eu pitié du désespoir d'Aubry et était venu dans la maison du comédien. Mais arrivé trop tard, alors que Molière était déjà mort, il était reparti à la hâte.

Quant à donner à Molière une sépulture chrétienne, il n'en était pas question. Le comédien pécheur était mort sans se repentir, sans avoir abjuré sa profession condamnée par l'Église, et sans avoir fourni la promesse écrite de ne plus jamais jouer la comédie au cas où, dans son infinie bonté, le Seigneur lui aurait rendu la santé.

Il n'avait pas signé cette promesse, et pas un prêtre à Paris ne voudrait accompagner au cimetière monsieur de Molière, et d'ailleurs aucun cimetière ne l'aurait recueilli.

Armande commençait à désespérer quand arriva d'Auteuil le père François Loiseau, qui s'était lié avec Molière à l'époque où celui-ci résidait dans le village. Non seulement le curé apprit à Armande comment rédiger une supplique à adresser à l'archevêque de Paris mais, s'exposant lui-même à de sérieux désagréments, accompagna la veuve chez l'archevêque.

Après quelques instants d'attente dans une antichambre silencieuse, la veuve et le curé furent admis dans le cabinet archiépiscopal et Armande se trouva face à face avec Harlay de Champvallon, archevêque de Paris.

— Votre Éminence, dit la veuve, je suis venue solliciter de vous la permission d'enterrer mon défunt mari conformément au rite de l'Église.

De Champvallon lut la supplique et dit à la veuve, sans la regarder mais en posant sur Loiseau un regard lourd et extraordinairement attentif :

— Votre mari, madame, était comédien ?

— Oui, répondit Armande en se troublant, mais il est mort en bon chrétien. Les deux nonnes du couvent Sainte-Claire d'Annecy qui se trouvaient chez nous peuvent en témoigner. De plus, il s'était confessé et avait communié à la dernière Pâques.

— Je regrette beaucoup, répondit l'archevêque, mais il n'y a rien à faire. Je ne peux pas vous donner l'autorisation que vous me demandez.

Armande se mit à pleurer.

— Mais que vais-je faire du corps ? demanda-t-elle.

— Je regrette, répéta l'archevêque, mais comprenez, madame, que je ne peux enfreindre la règle.

Et Loiseau, suivi par le regard de l'archevêque, emmena Armande en pleurs.

Sanglotant et s'appuyant contre l'épaule du curé, Armande disait :

— Je vais donc devoir l'emmener hors de la ville et l'enterrer au bord de la grand-route.

Mais le fidèle curé ne l'abandonna pas et l'accompagna à Saint-Germain, dans le palais du roi. Ici Armande espérait parvenir à ses fins. Le roi la reçut. Armande fut introduite dans une salle où le monarque, debout auprès d'une table, l'attendait. Armande ne dit rien, mais se mit à genoux et fondit en larmes. Le roi l'aida à se relever et demanda ·

— Je vous prie de vous calmer, madame. Que puis-je pour vous ?

— Votre Majesté, dit Armande, on ne me permet pas d'enterrer mon mari, de Molière ! Je vous demande d'intercéder pour lui, Votre Majesté !

Le roi répondit :

— Tout sera fait pour votre défunt mari. Rentrez chez vous, je vous prie, et occupez-vous du corps.

Armande disparut en sanglotant et en bafouillant des paroles de reconnaissance. Quelques instants après, un envoyé du roi arrivait au galop chez de Champvallon. Quand celui-ci parut au palais, le roi lui demanda :

— Que se passe-t-il à propos de la mort de Molière ?

— Seigneur, répondit Champvallon, la règle interdit qu'on l'enfouisse en terre consacrée.

— Et jusqu'à quelle profondeur s'étend la terre consacrée ? demanda le roi.

— Jusqu'à quatre pieds, Votre Majesté, répondit l'archevêque.

— Vous voudrez bien, archevêque, l'enterrer à une profondeur de cinq pieds, dit le roi. Mais que cela se fasse sans solennité ni scandale.

On rédigea à l'archevêché la feuille suivante :

« Vu ladite requête, ayant aucunement égard aux preuves résultantes de l'enquête faite par mon ordonnance, nous avons permis au sieur curé de Saint-Eustache de donner la sépulture ecclésiastique au corps du défunt Molière dans le cimetière de la paroisse, à condition néanmoins que ce sera sans aucune pompe, et avec deux prêtres seulement et hors des heures du jour ; et qu'il ne sera fait aucun service solennel pour lui, ni dans ladite paroisse Saint-Eustache ni ailleurs... »

Dès que se fut répandu dans la corporation des tapissiers parisiens le bruit que le fils de feu l'honorable Jean-Baptiste Poquelin, le comédien et tapissier du roi Molière, était mort, les membres de la corporation se présentèrent rue de Richelieu et placèrent sur le corps du comédien le drapeau brodé de leur corporation, réintégrant ainsi Molière dans son état d'origine : tapissier il avait été, tapissier il redevenait.

En même temps, un habile homme qui connaissait la sympathie que le Grand Condé portait à Molière allait voir le prince et lui tenait ce langage :

— Votre Altesse, permettez-moi de vous remettre une épitaphe que j'ai composée pour Molière.

Condé prit l'épitaphe et répondit en regardant l'auteur :

— Je vous remercie. Mais j'aurais préféré qu'il eût écrit la vôtre.

Le 21 février, à neuf heures du soir, quand l'on dut emporter Molière, une foule de cent cinquante personnes environ se rassembla devant la maison du comédien défunt. On ne sait pas qui se trouvait dans cette foule, mais il y eut des cris et même des sifflets. La veuve du sieur de Molière s'émut à la vue de ces inconnus. Sur le conseil de ses proches, elle ouvrit la fenêtre et adressa les mots suivants aux gens qui s'étaient assemblés :

— Messieurs ! Pourquoi voulez-vous troubler le repos de mon pauvre mari ? Je peux vous assurer qu'il fut un homme bon et qu'il mourut en chrétien. Peut-être lui ferez-vous l'honneur de l'accompagner au cimetière ?

Quelqu'un déposa à cet instant dans sa main une bourse de cuir, et elle commença à distribuer l'argent. Il y eut une rumeur, puis tout rentra dans l'ordre et des flambeaux s'allumèrent devant la maison. À neuf heures, on sortit le cercueil de bois. En tête, marchaient deux prêtres qui ne disaient mot. Le cercueil était escorté par des enfants revêtus d'aubes qui portaient d'énormes cierges de cire. Derrière le cercueil cheminait une véritable forêt de flambeaux, et l'on reconnaissait dans la foule le peintre Pierre Mignard, le fabuliste La Fontaine et les poètes Boileau et Chapelle. Tous avaient des flambeaux à la main. Derrière eux venaient en bon ordre les comédiens de la troupe du Palais-Royal, portant eux aussi des flambeaux. Il y avait là maintenant une foule de deux cents personnes qui suivaient le corps. Dans une rue, une fenêtre s'ouvrit et une femme parut qui demanda d'une voix sonore :

— Qui enterre-t-on ?

— Un certain Molière, lui répondit une autre femme.

Ce Molière fut porté au cimetière Saint-Joseph et enterré dans la partie réservée aux suicidés et aux enfants non baptisés. Et dans l'église Saint-Eustache, le ministre du culte nota brièvement que le mardi 21 février de l'année 1673 avait été inhumé au cimetière Saint-Joseph le tapissier et valet de chambre du roi Jean-Baptiste Poquelin.

L'adieu au comédien
de bronze

Sa femme fit couvrir sa tombe d'une dalle de pierre et commanda que l'on apporte au cimetière cent fagots de bois afin que les sans-logis puissent se réchauffer. Sitôt que l'hiver se fit rigoureux, un énorme bûcher se mit à flamber sur cette dalle. À la chaleur, la pierre se fissura et éclata. Le temps dispersa ses débris et quand, quatre-vingt-dix ans plus tard, des commissaires de la révolution française vinrent déterrer le corps de Jean-Baptiste Molière pour le transporter dans un mausolée, personne ne put indiquer précisément l'endroit où il avait été inhumé. Et bien que des restes aient été effectivement sortis de terre et transportés dans un mausolée, personne ne peut affirmer avec certitude que ce furent bien ceux de Molière. Les honneurs furent probablement rendus à un inconnu.

Mon héros entra donc dans la terre parisienne et y disparut. Puis, avec le temps, s'évanouirent comme par magie tous ses manuscrits et toutes ses lettres. On a dit que les manuscrits brûlèrent dans un incendie, et que ses lettres furent détruites par un fanatique qui les avaient patiemment réunies. Bref, tout fut perdu, à l'exception de deux bouts de papier sur lesquels le comédien errant avait un jour déposé sa signature pour attester qu'il avait reçu de l'argent pour sa troupe.

Mais même dépouillé de ses lettres et manuscrits, il quitta un jour le morceau de terre où restèrent les suicidés et les enfants non baptisés pour s'installer au-dessus de la vasque asséchée d'une fontaine. Le voilà! Il est là, le comédien royal, avec des nœuds de ruban de bronze à ses souliers! Et moi, qui n'ai jamais eu l'occasion de le voir, je le salue et lui dis adieu.

Moscou, 1932-1933.

DU MÊME AUTEUR

Aux Éditions Gallimard, Bibliothèque de la Pléiade

LA GARDE BLANCHE (Œuvres, I)

Chez d'autres éditeurs

IVAN VASSILIEVITCH

LE MAÎTRE ET MARGUERITE

LA GARDE BLANCHE

LE ROMAN THÉÂTRAL

DIABLERIE-LES ŒUFS FATIDIQUES et autres récits

ADAM ET ÈVE

J'AI TUÉ

LETTRES À STALINE

CŒUR DE CHIEN

MORPHINE

LA SÉANCE DE SPIRITISME

ÉCRITS SUR DES MANCHETTES

JOURNAL CONFISQUÉ

Composition Bussière
et impression Bussière Camedan Imprimeries
à Saint-Amand (Cher), le 4 décembre 2001.
Dépôt légal : décembre 2001.
1ᵉʳ dépôt légal dans la collection : février 1993.
Numéro d'imprimeur : 015556/1
ISBN 2-07-038595-7./Imprimé en France.

10642